30장면으로 끝내는

스크린 영어회화

겨울왕국 Ⅱ

해설 라이언 강

이 책은 스크립트북과 워크북, 전 2권으로 구성되어 있습니다. 이 책은 워크북으로 전체 대본에서 뽑은 30장면을 집중 훈련할 수 있습니다.

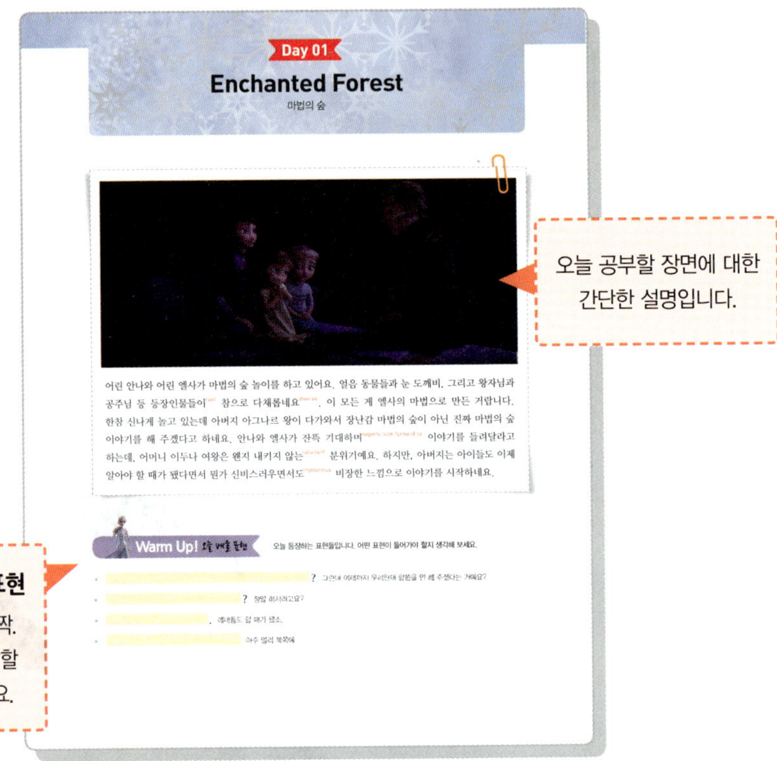

오늘 공부할 장면에 대한 간단한 설명입니다.

Warm up! 오늘 배울 표현

오늘 배울 핵심표현을 살짝. 이 표현을 내가 영어로 말할 수 있는지 테스트해보세요.

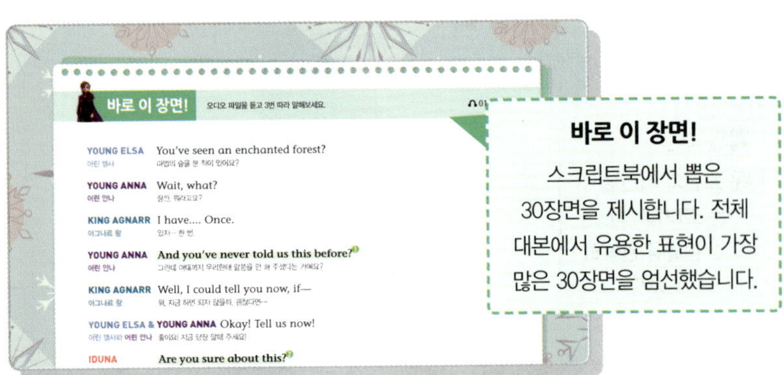

바로 이 장면!

스크립트북에서 뽑은 30장면을 제시합니다. 전체 대본에서 유용한 표현이 가장 많은 30장면을 엄선했습니다.

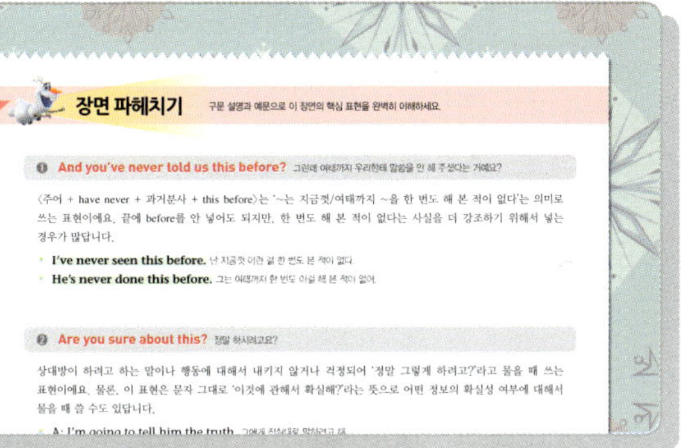

장면 파헤치기

'바로 이 장면!'에서 뽑은 핵심 표현들을 친절한 설명과 유용한 예문을 통해 깊이 있게 알아봅니다.

영화 속 패턴 익히기

영화에 나오는 패턴을 활용하여 다양한 표현을 만들 수 있습니다. Step1에서 기본 패턴을 익히고, Step2에서 패턴을 응용하고, Step3에서 실생활 대화에서 패턴을 적용하는 훈련을 합니다.

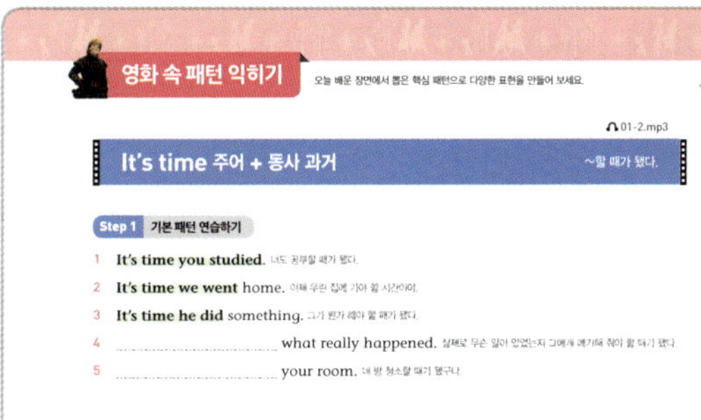

확인학습

오늘 배운 표현과 패턴을 확인해 보는 코너입니다. 문제를 풀며 표현들을 완벽히 내 것으로 만드세요.

Enchanted Forest

마법의 숲

어린 안나와 어린 엘사가 마법의 숲 놀이를 하고 있어요. 얼음 동물들과 눈 도깨비, 그리고 왕자님과 공주님 등 등장인물들이 ^{cast} 참으로 다채롭네요 ^{diverse}. 이 모든 게 엘사의 마법으로 만든 거랍니다. 한참 신나게 놀고 있는데 아버지 아그나르 왕이 다가와서 장난감 마법의 숲이 아닌 진짜 마법의 숲 이야기를 해 주겠다고 하네요. 안나와 엘사가 잔뜩 기대하며 ^{eagerly look forward to} 이야기를 들려달라고 하는데, 어머니 이두나 여왕은 왠지 내키지 않는 ^{reluctant} 분위기예요. 하지만, 아버지는 아이들도 이제 알아야 할 때가 됐다면서 뭔가 신비스러우면서도 ^{mysterious} 비장한 느낌으로 이야기를 시작하네요.

Warm Up! 오늘 배울 표현   오늘 등장하는 표현들입니다. 어떤 표현이 들어가야 할지 생각해 보세요.

* ＿＿＿＿＿＿＿＿＿＿＿＿＿＿＿？ 그런데 여태까지 우리한테 말씀을 안 해 주셨다는 거예요?

* ＿＿＿＿＿＿＿＿＿＿＿？ 정말 하시려고요?

* ＿＿＿＿＿＿＿＿＿. 얘네들도 알 때가 됐소.

* ＿＿＿＿＿＿＿＿＿ 아주 멀리 북쪽에

오디오 파일을 듣고 3번 따라 말해보세요.

🎧 01-1.mp3

YOUNG ELSA
어린 엘사
You've seen an enchanted forest?
마법의 숲을 본 적이 있어요?

YOUNG ANNA
어린 안나
Wait, what?
잠깐, 뭐라고요?

KING AGNARR
아그나르 왕
I have.... Once.
있지… 한 번.

YOUNG ANNA
어린 안나
And you've never told us this before?❶
그런데 여태까지 우리한테 말씀을 안 해 주셨다는 거예요?

KING AGNARR
아그나르 왕
Well, I could tell you now, if—
뭐, 지금 하면 되지 않을까, 괜찮다면—

YOUNG ELSA & YOUNG ANNA Okay! Tell us now!
어린 엘사와 **어린 안나** 좋아요! 지금 당장 말해 주세요!

IDUNA
이두나
Are you sure about this?❷
정말 하시려고요?

KING AGNARR
아그나르 왕
It's time they know.❸
얘네들도 알 때가 됐소.

YOUNG ANNA
어린 안나
Let's make a big snowman later.
나중에 큰 눈사람 만들자.

KING AGNARR
아그나르 왕
If they can settle and listen. Anna.
얘네들이 차분히 잘 듣는다면 말이지. 안나.

KING AGNARR
아그나르 왕
Far away, **as north as we can go,❹** stood a very old and very enchanted forest. But its magic wasn't that of goblin spells and lost fairies.
저 멀고 먼 북쪽 끝에 아주 오래되고 정말 매혹적인 숲이 있었지. 하지만 이 마법은 도깨비의 주술이나 길 잃은 요정들의 마법이 아니었어.

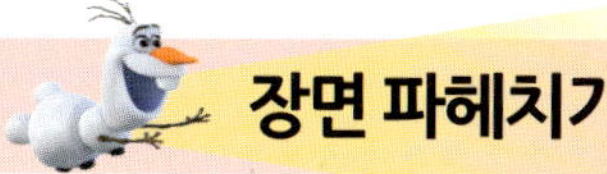

구문 설명과 예문으로 이 장면의 핵심 표현을 완벽히 이해하세요.

❶ And you've never told us this before? 그런데 여태까지 우리한테 말씀을 안 해 주셨다는 거예요?

〈주어 + have never + 과거분사 + this before〉는 '~는 지금껏/여태까지 ~을 한 번도 해 본 적이 없다'는 의미로 쓰는 표현이에요. 끝에 before를 안 넣어도 되지만, 한 번도 해 본 적이 없다는 사실을 더 강조하기 위해서 넣는 경우가 많답니다.

* **I've never seen this before.** 난 지금껏 이런 걸 한 번도 본 적이 없다.
* **He's never done this before.** 그는 여태까지 한 번도 이걸 해 본 적이 없어.

❷ Are you sure about this? 정말 하시려고요?

상대방이 하려고 하는 말이나 행동에 대해서 내키지 않거나 걱정되어 '정말 그렇게 하려고?'라고 물을 때 쓰는 표현이에요. 물론, 이 표현은 문자 그대로 '이것에 관해서 확실해?'라는 뜻으로 어떤 정보의 확실성 여부에 대해서 물을 때 쓸 수도 있답니다.

* A: **I'm going to tell him the truth.** 그에게 진실대로 말하려고 해.
  B: **Are you sure about this?** 정말 그럴 작정이야?

❸ It's time they know. 얘네들도 알 때가 됐소.

〈It's time + 주어 + 동사〉는 '~을 할 때가 되었다'는 뜻으로 쓸 수 있는 패턴 문장이에요. 위의 문장에서는 know가 현재형으로 쓰였지만, 구어체라서 편하게 하려고 그렇게 한 것으로 보여요. 원래 뒤에 따라오는 동사를 문법적으로는 과거형으로 쓰는 것이 맞습니다. 뒤에서 패턴 문장으로 만들어서 활용 연습할 때는 과거형을 넣어서 할게요. It's time 뒤에 'to + 동사 원형'을 넣어서 쓰는 경우도 많으니 이 패턴도 함께 연습해 보도록 하죠.

★ 영화 속 패턴 익히기

❹ as north as we can go 아주 멀리 북쪽에

가도 가도 끝이 없을 만큼 최대한 북쪽으로 가야 한다는 것을 강조한 위의 표현은 〈as + 형용사/부사 + as + 주어 + can + 동사〉 형식으로 되어 있는데요, 이러한 패턴의 표현은 '~할 수 있는 한 (가능한 한) 최고로/최대한 ~인'이라는 의미로 해석이 가능해요. 하지만, 우리말로 자연스럽게 옮기려면 정의에서 벗어나지 않는 선 안에서 문맥에 맞게 하는 것이 좋을 거예요.

* **This red pepper is as spicy as you can imagine.** 이 빨간 고추는 네가 상상할 수 있는 최고로 매운맛이야.
* **Be as smart as you can be.** 될 수 있는 한 최고로 똑똑해져라.

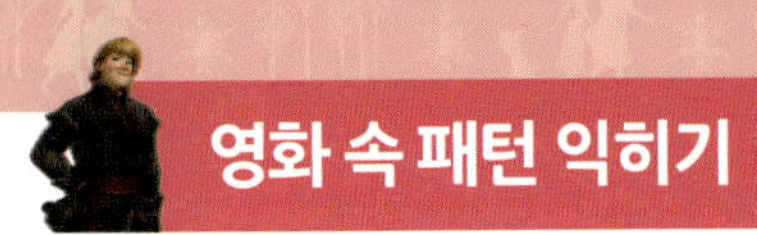

영화 속 패턴 익히기

오늘 배운 장면에서 뽑은 핵심 패턴으로 다양한 표현을 만들어 보세요.

🎧 01-2.mp3

It's time 주어 + 동사 과거

~할 때가 됐다.

Step 1 기본 패턴 연습하기

1 **It's time you studied**. 너도 공부할 때가 됐다.

2 **It's time we went** home. 이제 우린 집에 가야 할 시간이야.

3 **It's time he did** something. 그가 뭔가 해야 할 때가 됐다.

4 ______ what really happened. 실제로 무슨 일이 있었는지 그에게 얘기해 줘야 할 때가 됐다.

5 ______ your room. 네 방 청소할 때가 됐구나.

Step 2 패턴 응용하기 | It's time to + 동사원형

1 **It's time to** go to bed. 자야 할 시간이야.

2 **It's time to** stop. 멈출 때가 됐다.

3 **It's time to** say goodbye. 이제 인사하고 헤어질 때가 됐네.

4 ______ some action. 뭔가 행동으로 옮겨야 할 때가 됐다.

5 ______ my bad habit. 내 나쁜 습관을 끊을 때가 됐다.

Step 3 실생활에 적용하기

A 이제 나도 좀 혼자만의 시간을 가질 때가 된 것 같아.

B What do you mean?

A You know what I mean.

A I think it's time I had some time alone.

B 그게 무슨 뜻이야?

A 무슨 뜻인지 너도 알잖아.

정답 **Step 1** 4 It's time we told him 5 It's time you cleaned **Step 2** 4 It's time to take 5 It's time to quit

문제를 풀며 오늘 배운 표현을 완벽히 내 것으로 만드세요.

A | 영화 속 대화를 완성해 보세요.

YOUNG ELSA You've seen an ❶____________?
마법의 숲을 본 적이 있어요?

YOUNG ANNA Wait, what? 잠깐, 뭐라고요?

KING AGNARR I have…. ❷____________. 있지… 한 번.

YOUNG ANNA ❸____________?
그런데 여태까지 우리한테 말씀을 안 해 주셨다는 거예요?

KING AGNARR Well, I could tell you now, if— 뭐, 지금 하면 되지 않을까. 괜찮다면—

YOUNG ELSA & YOUNG ANNA Okay! ❹____________!
좋아! 지금 당장 말해 주세요!

IDUNA ❺____________? 정말 하시려고요?

KING AGNARR ❻____________. 얘네들도 알 때가 됐소.

YOUNG ANNA ❼____________ a big snowman later.
나중에 큰 눈사람 만들자.

KING AGNARR If they can ❽____________. Anna.
얘네들이 차분히 잘 듣는다면 말이지. 안나.

KING AGNARR Far away, ❾____________, stood a very old and very enchanted forest. But its magic wasn't that of goblin spells and ❿____________.
저 멀고 먼 북쪽 끝에 아주 오래되고 정말 매혹적인 숲이 있었지. 하지만 이 마법은 도깨비의 주술이나 길 잃은 요정들의 마법이 아니었어.

정답 A

❶ enchanted forest
❷ Once
❸ And you've never told us this before
❹ Tell us now
❺ Are you sure about this
❻ It's time they know
❼ Let's make
❽ settle and listen
❾ as north as we can go
❿ lost fairies

B | 다음 빈칸을 채워 문장을 완성해 보세요.

1 너도 공부할 때가 됐다.
____________.

2 실제로 무슨 일이 있었는지 그에게 얘기해 줘야 할 때가 됐다.
____________ what really happened.

3 네 방 청소할 때가 됐구나.
____________ your room.

4 이제 인사하고 헤어질 때가 됐네.
____________ say goodbye.

5 내 나쁜 습관을 끊을 때가 됐다.
____________ my bad habit.

정답 B

1 It's time you studied
2 It's time we told him
3 It's time you cleaned
4 It's time to
5 It's time to quit

11

A Gift of Peace

평화의 선물

엘사와 안나에게 마법의 숲에 대해 얘기해 주던 아버지가 말씀하기를, 할아버지는 정말 훌륭하신 분이었다고 하네요. 그들의 할아버지인, 루나드 왕은 노덜드라 사람들에게 아무런 대가도 바라지 않고^not want anything in return 엄청나게 큰 선물을 주셨는데, 그 선물이 바로 거대한 댐이었다고 해요. 두 왕국이 서로 영원한^eternally 우호적인 관계를^friendly relationship 희망한 '평화의 선물'이었던 거죠. 그래서, 그 댐의 건축을 기념하기 위해 어린 아그나르도 함께 노덜드라 인들의 숲에 찾아가게 되었어요. 그때 마법의 숲의 아름답고 신비스러운 광경을^mysterious sight 목격하게^witness 된 거랍니다. 그런데, 기쁨도 잠시, 갑자기 분위기가 이상한 방향으로 흘러가는 것 같아요.

Warm Up! 오늘 배울 표현　　오늘 등장하는 표현들입니다. 어떤 표현이 들어가야 할지 생각해 보세요.

* They just ________________ the forest's gifts.　그들은 그저 숲의 선물을 지혜롭게 이용했을 뿐이었단다.

* Their ways were so ________________ ours.　그들의 삶의 방식은 우리와는 아주 많이 달랐지.

* I was so honored to ________________ to the forest to celebrate it.
  나는 그날을 기념하기 위해 숲으로 갈 수 있게 된 것이 너무 영광스러웠지.

* ________________, Agnarr.　당당하게 서 있거라, 아그나르.

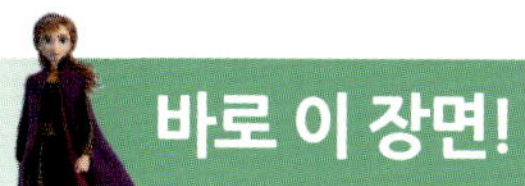

YOUNG ELSA
어린 엘사

Were the Northuldra magical like me?

노덜드라 사람들도 나처럼 마법을 썼나요?

KING AGNARR
아그나르 왕

No, Elsa. They were not magical. They just **took advantage of** the forest's gifts. ❶

아니, 엘사. 그들에게 마법은 없었어. 그들은 그저 숲의 선물을 지혜롭게 이용했을 뿐이었단다.

KING AGNARR
아그나르 왕

Their ways were so **different from** ours, but still, they promised us friendship. ❷

그들의 삶의 방식은 우리와는 아주 많이 달랐지만, 그래도 그들은 우리에게 우정을 약속했지.

KING AGNARR
아그나르 왕

In honor of that, your grandfather, King Runeard, built them a mighty dam to strengthen their waters. It was a gift of peace.

그것을 기념하기 위해, 너희 할아버지인 루나드 왕이 그들의 강물을 더 강하게 해 주는 거대한 댐을 지으셨단다. 그것은 평화의 선물이었어.

YOUNG ANNA
어린 안나

That's a big gift of peace.

그것참 엄청난 평화의 선물이네요.

KING AGNARR
아그나르 왕

And I was so honored to **get to go** to the forest to celebrate it. ❸

나는 그날을 기념하기 위해 숲으로 갈 수 있게 된 것이 너무 영광스러웠지.

KING RUNEARD
루나드 왕

Stand tall, Agnarr. ❹

당당하게 서 있거라, 아그나르.

KING AGNARR
아그나르 왕

But I wasn't at all prepared for what the day would bring.

하지만 나는 그날이 어떻게 흘러갈지에 대해 전혀 준비되어 있지 않았단다.

❶ They just took advantage of the forest's gifts. 그들은 그저 숲의 선물을 지혜롭게 이용했을 뿐이었단다.

take advantage of something/somebody는 '~을 이용하여 이익을 취하다'라는 의미로 쓰이는 숙어예요. 남을 이용하는 것은 나쁜 것이니까 주로 뒤에 사람이 따라오면 부정적인 의미로 쓰이지만, 무엇인가를 긍정적으로 자신에게 유익하게 활용하는 것을 말할 때도 이 표현이 쓰이기도 한답니다.

* Jeremy is **taking advantage of** you. 제레미는 널 이용하는 거야.
* You need to **take advantage of** your skills. 네 기술을 이용해 이익을 취해야 한다.

❷ Their ways were so different from ours. 그들의 삶의 방식은 우리와는 아주 많이 달랐지.

'~와 다르다'는 말을 영어로 different from something/somebody로 표현하는데, 미국 구어체에서는 from 대신에 than을 써서 different than이라고 하는 경우도 많이 있답니다.

* It's **different from** what I expected. 이건 내가 기대했던 것과 다르네.
* He was no **different from** anyone else. 그도 다른 사람들과 별반 다르지 않았다.

❸ I was so honored to get to go to the forest to celebrate it.
나는 그날을 기념하기 위해 숲으로 갈 수 있게 된 것이 너무 영광스러웠지.

〈get to + 동사〉는 '~을 하게 되다', '~을 할 기회를 얻게 되다'는 의미로 주로 구어체에서 많이 쓰이는 표현이에요. 〈get an opportunity (a chance) to + 동사〉의 의미랍니다. 꽤 자주 쓰이는 표현인데, 의미를 정확하게 파악하지 못하는 학습자들이 많아서 패턴 문장으로 연습해 볼게요. ★영화 속 패턴 익히기

❹ Stand tall, Agnarr. 당당하게 서 있거라, 아그나르.

tall은 '키가 큰'이라는 뜻이므로, stand tall은 직역하면 '키가 큰 모습으로 서다'라고 해석이 되겠죠. 더 자연스럽게 의역하면, 이 표현은 고개를 들고 등을 꼿꼿이 세우고 '당당하게 서다'라는 뜻이 된답니다. 참고로, '당당하게 걷다'라고 할 때는 walk tall이라고 표현한답니다.

* You need to **stand tall** and show your confidence. 당당하게 서서 자신감을 보여 줘야 해.
* **Stand taller** and be proud! 더 당당하고 자랑스럽게 서라!

오늘 배운 장면에서 뽑은 핵심 패턴으로 다양한 표현을 만들어 보세요.

🎧 02-2.mp3

get to + 동사

~하게 되다/ ~할 기회를 얻다.

Step 1 기본 패턴 연습하기

1 Did you **get to see** him? 그를 볼 수 있었니?

2 You'll **get to do** it tomorrow. 내일은 너도 하게 될 거야.

3 I want to **get to know** you better. 너와 더 친해지고 싶어.

4 ______________ what it's like to live in London. 런던에 산다는 건 어떤 건지 알 기회를 얻어라.

5 Will we ______________ her? 우리가 그녀를 만나게 될 수 있을까?

Step 2 패턴 응용하기 | did not get to + 동사

1 I didn't **get to say** goodbye to Lily. 릴리에게 작별 인사도 못했네.

2 It's too bad you didn't **get to sleep** last night. 어젯밤에 잠을 못 잤다니 안됐구나.

3 We didn't **get to meet**. 우린 만나지 못했다.

4 Ken didn't ______________ it. 켄은 시도할 기회를 얻지 못했다.

5 They didn't ______________ each other. 그들은 서로 친해지지 못했다.

Step 3 실생활에 적용하기

A 네 감정을 그녀에게 전할 수 있었니?
B No, she was too busy.
A That's too bad.

A Did you get to tell her your feelings?
B 아니, 그녀가 너무 바쁘더라고.
A 그것참 안타깝구나.

정답 Step 1 4 Get to know 5 get to meet Step 2 4 get to try 5 get to know

문제를 풀며 오늘 배운 표현을 완벽히 내 것으로 만드세요.

A | 영화 속 대화를 완성해 보세요.

YOUNG ELSA Were the Northuldra ❶______________________?
노덜드라 사람들도 나처럼 마법을 썼나요?

KING AGNARR No, Elsa. They were not magical. They just ❷__________
______________ the forest's gifts. 아니, 엘사. 그들에게 마법은 없었어.
그들은 그저 숲의 선물을 지혜롭게 이용했을 뿐이었단다.

KING AGNARR Their ways were so ❸______________ ours, but
still, they ❹______________________.
그들의 삶의 방식은 우리와는 아주 많이 달랐지만, 그래도 그들은 우리에게 우정을 약속했지.

KING AGNARR ❺______________________, your grandfather, King
Runeard, built them a mighty dam to ❻______________
______________. It was a ❼______________.
그것을 기념하기 위해. 너희 할아버지인 루나드 왕이 그들의 강물을 더 강하게 해 주는 거대한
댐을 지으셨단다. 그것은 평화의 선물이었어.

YOUNG ANNA That's a big gift of peace. 그것참 엄청난 평화의 선물이네요.

KING AGNARR And I was so honored to ❽______________ to the
forest to celebrate it. 나는 그날을 기념하기 위해 숲으로 갈 수 있게 된 것이
너무 영광스러웠지.

KING RUNEARD ❾______________, Agnarr. 당당하게 서 있거라, 아그나르.

KING AGNARR But I wasn't at all prepared for what ❿__________
______________.
하지만 나는 그날이 어떻게 흘러갈지에 대해 전혀 준비되어 있지 않았단다.

B | 다음 빈칸을 채워 문장을 완성해 보세요.

1 그를 볼 수 있었니?
Did you ______________ him?

2 너와 더 친해지고 싶어.
I want to ______________ you better.

3 릴리에게 작별 인사도 못했네.
I didn't ______________ goodbye to Lily.

4 켄은 시도할 기회를 얻지 못했다.
Ken didn't ______________ it.

5 그들은 서로 친해지지 못했다.
They didn't ______________ each other.

Only Ahtohallan Knows

아토할란만이 알고 있네

마법의 숲에 관한 아버지의 이야기가 끝나자 너무 아쉬워진 안나와 엘사가 이야기를 조금만 더 해 달라고 아버지를 조르네요[nag]. 그는 딸들의 성화에 못 이겨서 어떻게 해야 할지 난감해 하지만[do not know what to do] 엄마가 상황 정리를[settle the situation] 해 주어서 벗어날 수가 있게 되었어요. 그러나, 궁금한 건 절대 못 참는 안나와 엘사가 마법의 숲에서 있었던 이해할 수 없는 일에 대해서 질문 세례를 퍼붓는데[bombard her with questions] 엄마가 '그건 오직 아토할란만이 알고 있지'라며 세상에서 처음 들어보는 신비한 강 '아토할란'에 대한 자장가[lullaby]를 불러줍니다.

Warm Up! 오늘 배울 표현 오늘 등장하는 표현들입니다. 어떤 표현이 들어가야 할지 생각해 보세요.

* And ___________, how about we say goodnight to your father?
  자 여기서, 이제 아버지께 굿나잇 인사하는 게 어떨까?

* ___________ give them gifts? 대체 선물을 준 사람들을 공격하는 사람이 어디 있냐고요?

* ___________. 그건 아토할란만이 알고 있지.

* ___________. 더 가까이 오렴.

IDUNA
이두나

And **on that note**, how about we say goodnight to your father?❶
자 여기서, 이제 아버지께 굿나잇 인사하는 게 어떨까?

YOUNG ANNA
어린 안나

Aw, but I still have so many questions.
에이, 하지만 아직도 물어볼 게 너무 많다고요.

KING AGNARR
아그나르 왕

Save them for another night, Anna.
다른 날 밤을 위해서 아껴두자, 안나.

YOUNG ANNA
어린 안나

You know I don't have that kind of patience.
제겐 그 정도의 참을성이 없다는 거 잘 아시잖아요.

YOUNG ANNA
어린 안나

Why did the Northuldra attack us anyway? **Who attacks people who** give them gifts?❷
그런데 노덜드라 사람들은 우리를 왜 공격한 거예요? 대체 선물을 준 사람들을 공격하는 사람이 어디 있냐고요?

YOUNG ELSA
어린 엘사

Do you think the forest will wake again?
어머니도 숲이 다시 깨어날 거라고 생각하세요?

IDUNA
이두나

Only Ahtohallan knows.❸
그건 아토할란만이 알고 있지.

YOUNG ANNA
어린 안나

Ahto-who-what?
아토-누구-뭐라고요?

IDUNA
이두나

When I was little, my mother would sing a song about a special river called Ahtohallan that was said to hold all the answers about the past. About what we are a part of.
엄마가 어렸을 때, 내 어머니가 아토할란이라는 특별한 강에 대한 노래를 불러 주시곤 했는데, 그 강은 과거에 대한 모든 답을 가지고 있다고 했지. 우리가 어디서 나고 자란 존재인지에 대한 그런 답을.

YOUNG ANNA
어린 안나

Whoa...
우와…

YOUNG ELSA
어린 엘사

Will you sing it for us, please?
우리에게도 그 노래 불러 주시면 안 되나요? 제발요.

IDUNA
이두나

Okay. Cuddle close. **Scooch in.**❹
그래. 꼭 안고, 더 가까이 오렴.

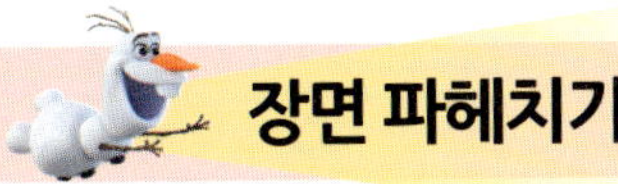

❶ And on that note, how about we say goodnight to your father?

자 여기서, 이제 아버지께 굿나잇 인사하는 게 어떨까?

on that note이라는 표현은 '그/이 시점에서', '그/이 부분에서', '그/이쯤에서'라는 의미로 쓰이는데, 특히 대화를 마무리할 때 또는 다른 화제로 전환하고자 할 때 많이 쓰는 표현입니다. note는 '음표'라는 뜻인데, 연주/합창 연습을 하다가 지휘자가 '이 음(표)에서'라고 하는 장면을 연상해 보세요. 그 상황을 일상생활에 적용하면 '이 시점에서'가 되는 것이지요. 한편, 이 표현과 유사한 형식의 on that point라는 숙어도 있는데, 이 표현은 '그 점에 대해서는', '그 지점에서'라는 뜻이랍니다. 두 표현 모두 패턴 문장으로 살펴볼게요.

★ 영화 속 패턴 익히기

❷ Who attacks people who give them gifts? 대체 선물을 준 사람들을 공격하는 사람이 어디 있냐고요?

이 문장에서 핵심은 제일 앞에 나오는 Who와 중간에 나오는 who 부분인데요, '~한 사람을 ~하는 사람이 대체 어디 있겠냐?'라는 뜻을 전할 때 쓸 수 있는 조합이에요.

* **Who likes people who** are not friendly? 친절하지 않은 사람을 좋아하는 사람이 어디 있겠어?
* **Who hires people who** treat people like that? 그런 식으로 사람들을 대하는 사람을 고용하는 사람이 어디 있겠냐?

❸ Only Ahtohallan knows. 그건 아토할란만이 알고 있지.

'그걸 아는 이는 ~밖에 없다'는 표현으로 〈Only + 사람/신 + knows〉 형식으로 문장을 쓸 수 있어요. 주로 이 표현은 Only God knows. 라는 문장으로 많이 쓰이는데, '그건 하나님만 알지', '그건 아무도 모른다'는 뜻이랍니다.

* **Only a few know.** 몇 사람만 알고 있다.
* **Only you and I know.** 이건 너와 나만 알고 있다.

❹ Scooch in. 더 가까이 오렴.

scooch는 구어체에서만 쓰는 단어인데, '(특히 앉은 자세로) 조금 움직이다'라는 의미예요. 주로 교회나 공연장 같은 곳에서 긴 의자에 앉아있을 때 안쪽에 있는 사람에게 '조금 안/옆으로 들어가라'라고 말할 때 Scooch over! 라는 표현을 많이 쓴답니다.

* **I scooched over** so Henry could sit down next to me. 헨리가 내 옆으로 앉을 수 있도록 내가 옆으로 약간 옮겼다.
* **Scooch in** a little! 조금 더 안으로 붙어라!

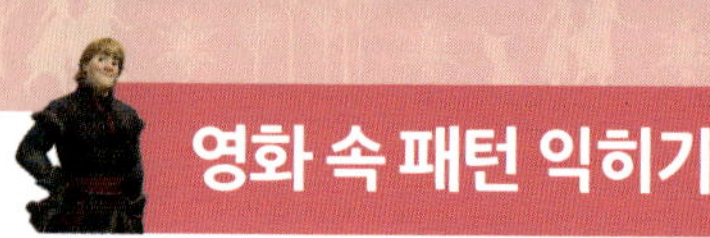

오늘 배운 장면에서 뽑은 핵심 패턴으로 다양한 표현을 만들어 보세요.

🎧 03-2.mp3

on that note ~   이(그) 시점에서/이쯤에서

Step 1 기본 패턴 연습하기

1 **On that note**, I think I'll head out. 이쯤에서, 나는 나가도록 할게요.

2 **On that note**, how about we take a little break? 이 시점에서, 우리 잠깐 쉬어 가는 건 어떨까요?

3 **On that note**, let me propose a toast. 이 시점에서, 제가 건배를 제안하겠습니다.

4 Well, _______________________, I'll let you go. 아, 이쯤하고, 이제 보내드릴게요.

5 _______________________, let's call it a day. 이 시점에서, 우리 오늘은 여기까지만 하자.

Step 2 패턴 응용하기 | on that point

1 I agree with you **on that point**. 그 점에 대해서는 나도 너와 동의한다.

2 Let me just stop you **on that point**. 그 지점에서 잠깐 멈춰줄래.

3 Is everyone clear **on that point**? 이 점에 대해서 모두 잘 이해한 건가?

4 _______________________, I'll move on to the next. 이 지점에서, 다음 장으로 넘어갈게요.

5 I have a question _______________________. 그 점에 대해서 질문이 있어요.

Step 3 실생활에 적용하기

A Let's play another round.　　　　A 한 게임만 더 하자.

B 이쯤에서, 우리 뭣 좀 먹고 하는 게 어때?　　　　B On that note, how about we get something to eat?

A Yeah, that's a good idea.　　　　A 그래, 좋은 생각이다.

정답 Step 1 4 on that note 5 On that note Step 2 4 On that point 5 on that point

문제를 풀며 오늘 배운 표현을 완벽히 내 것으로 만드세요.

A | 영화 속 대화를 완성해 보세요.

IDUNA And ❶___________, how about we say goodnight to your father?
자 여기서, 이제 아버지께 굿나잇 인사하는 게 어떨까?

YOUNG ANNA Aw, but I still ❷___________.
에이, 하지만 아직도 물어볼 게 너무 많다고요.

KING AGNARR Save them ❸___________, Anna.
다른 날 밤을 위해서 아껴두자, 안나.

YOUNG ANNA You know I don't have that ❹___________.
제겐 그 정도의 참을성이 없다는 거 잘 아시잖아요.

YOUNG ANNA Why did the Northuldra attack us anyway? ❺___________ give them gifts?
그런데 노덜드라 사람들은 우리를 왜 공격한 거예요? 대체 선물을 준 사람들을 공격하는 사람이 어디 있냐고요?

YOUNG ELSA ❻___________ the forest will wake again?
어머니도 숲이 다시 깨어날 거라고 생각하세요?

IDUNA ❼___________. 그건 아토할란만이 알고 있지.

YOUNG ANNA Ahto-who-what? 아토—누구—뭐라고요?

IDUNA When I was little, my mother would ❽___________ called Ahtohallan that was said to hold all the answers about the past. About what we are a part of. 엄마가 어렸을 때, 내 어머니가 아토할란이라는 특별한 강에 대한 노래를 불러 주시곤 했는데, 그 강은 과거에 대한 모든 답을 가지고 있다고 했지. 우리가 어디서 나고 자란 존재인지에 대한 그런 답을.

YOUNG ANNA Whoa... 우와…

YOUNG ELSA ❾___________, please? 우리에게도 그 노래 불러 주시면 안 되나요? 제발요.

IDUNA Okay. Cuddle close. ❿___________. 그래. 꼭 안고. 더 가까이 오렴.

B | 다음 빈칸을 채워 문장을 완성해 보세요.

1 이 시점에서, 우리 잠깐 쉬어 가는 건 어떨까요?
___________, how about we take a little break?

2 아, 이쯤하고, 이제 보내드릴게요.
Well, ___________, I'll let you go.

3 이 시점에서, 우리 오늘은 여기까지만 하자.
___________, let's call it a day.

4 그 점에 대해서는 나도 너와 동의한다.
I agree with you ___________.

5 그 점에 대해서 질문이 있어요.
I have a question ___________.

정답 A

❶ on that note

❷ have so many questions

❸ for another night

❹ kind of patience

❺ Who attacks people who

❻ Do you think

❼ Only Ahtohallan knows

❽ sing a song about a special river

❾ Will you sing it for us

❿ Scooch in

정답 B

1 On that note

2 on that note

3 On that note

4 on that point

5 on that point

Nothing Is Permanent

영원한 것은 없다네

영구 동토층 위에서 여유롭게 누워 몽상을^{daydreaming} 즐기는 올라프. 자신의 삶에 대한 깊은 성찰을^{reflecting} 하며 '인생은 어디로 와서 어디로 가는가', '나는 왜 여기에 있는가' 이런 것들 대해 궁금해^{curious} 하고 있어요. 안나에게 물어보면 알까? 안나는 나보다 어른이니까. 혹시 어른이 되면 이 모든 것에 대해 속 시원하게 이해할 수 있게 될까? 세상에 영원한 것은 정말 없는 걸까? 이런 생각 저런 생각. 올라프가 철학에^{philosophy} 심취하다 보니, 어휘 구사력도 예전과는 다르게 차원이 확 높아졌어요. 우리 귀염둥이^{cutie} 올라프가 가을을 타는 걸까요.

Warm Up! 오늘 배울 표현

오늘 등장하는 표현들입니다. 어떤 표현이 들어가야 할지 생각해 보세요.

* I'm just ____________________, Anna.   내가 꿈꾸던 삶을 누리고 있는 중이야, 안나.

* Oh, ____________________ this could last forever!   오, 이게 영원토록 계속될 수 있다면 정말 얼마나 좋을까!

* ____________________ the notion that nothing is permanent?
  그 어떤 것도 영원할 수 없다는 관념에 대해서 걱정해 본 적은 없니?

* ____________________ I'm aged like you.   정말 나도 빨리 너처럼 어른이 되었으면 좋겠다.

ANNA
안나
Enjoying your new permafrost, Olaf?
새로운 영구 동토층을 즐기는 거야, 올라프?

OLAF
올라프
I'm just **living the dream**, Anna. ❶ Oh, **how I wish** this could last forever! ❷
내가 꿈꾸던 삶을 누리고 있는 중이야, 안나. 오, 이게 영원토록 계속될 수 있다면 정말 얼마나 좋을까!

ANNA
안나
Mmm.
음음.

OLAF
올라프
And yet change mocks us with her beauty.
하지만 변화가 그녀의 아름다움으로 우리를 비웃네.

ANNA
안나
What's that?
그게 무슨 말이야?

OLAF
올라프
Forgive me, maturity is making me poetic. Tell me, you're older and thus all-knowing; **do you ever worry about** the notion that nothing is permanent? ❸
미안, 성숙함이 나를 시적으로 만드네. 말해 봐, 너는 어른이고 이제 모든 것을 다 알 테니; 그 어떤 것도 영원할 수 없다는 관념에 대해서 걱정해 본 적은 없니?

ANNA
안나
Ahhh… no.
아아… 아니.

OLAF
올라프
Really? Wow, **I can't wait until** I'm aged like you, ❹ so I don't have to worry about important things.
정말? 우와, 정말 나도 빨리 너처럼 어른이 되었으면 좋겠다, 그러면 중요한 일들에 대해서 걱정하지 않아도 될 테니까.

❶ I'm just **living the dream**, Anna. 내가 꿈꾸던 삶을 누리고 있는 중이야, 안나.

live the dream은 '꿈을 실현시키다', '꿈꾸던 인생을 살다'라는 의미의 숙어예요. 비슷한 의미로 쓰이는 Dreams come true라는 표현도 있으니 같이 알아두시면 좋겠어요.

* You can't **live the dream** if you don't have a dream. 꿈이 없으면 꿈을 실현할 수도 없다.
* I'll **live the dream** with you. 난 너와 함께 꿈꾸던 인생을 살 거야.

❷ Oh, **how I wish** this could last forever! 오, 이게 영원토록 계속될 수 있다면 정말 얼마나 좋을까!

I wish는 이루어지기 힘든 일에 대한 희망을 말하며 '~이면/하면 얼마나 좋을까'라는 뜻으로 쓰는 표현인데, 그 앞에 How를 넣으면 희망의 감정이 더욱 강조되어서 '~이면/하면 정말 얼마나 좋을까!'라는 뜻이 된답니다. 뒤에 따라오는 동사는 꼭 과거형 또는 과거분사가 되어야 한다는 것 잊지 마세요.

* **How I wish** you were my girlfriend! 네가 내 여자친구라면 정말 얼마나 좋을까!
* **How I wish** this could be real! 이게 현실이라면 정말 얼마나 좋을까!

❸ **Do you ever worry about** the notion that nothing is permanent?
그 어떤 것도 영원할 수 없다는 관념에 대해서 걱정해 본 적은 없니?

Have you ever worried about ~은 '한 번이라도 ~에 대한 걱정을 해 본 적이 있니?'와는 약간 차이가 있는데, 이 표현이 '단 한 번이라도 그런 경험이 있느냐'고 물을 때 쓰는 표현이라면, 위의 Do you ever worry about ~?은 '그런 거 걱정하기도 하니?'와 같은 뉘앙스로 쓰이는 표현이에요. 그 뉘앙스를 생각하며 동사만 바꿔가면서 연습해 보면 좋겠네요.

* **Do you ever feel** like you could do anything? 넌 뭐든지 다 할 수 있을 것 같은 기분일 때가 있니?
* **Do you ever think about** me? 살면서 나에 대한 생각을 하기도 하니?

❹ **I can't wait until** I'm aged like you. 정말 나도 빨리 너처럼 어른이 되었으면 좋겠다.

can't wait until ~은 말 그대로 '~까지 기다리지 못하겠다'는 뜻이에요. 문맥에 따라 차이는 있지만, 주로 '너무 ~하고 싶어서 못 참겠다', '하루라도 빨리 ~하고 싶다'라고 해석하면 자연스러워요. 의미는 똑같이 〈can't wait to + 동사〉 형식으로 쓸 수도 있는데, 이 두 가지를 패턴 문장으로 연습하면서 익히도록 할게요. ★ 영화 속 패턴 익히기

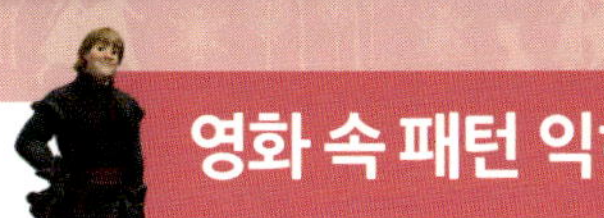

오늘 배운 장면에서 뽑은 핵심 패턴으로 다양한 표현을 만들어 보세요.

🎧 04-2.mp3

I can't wait until ~

~하고 싶어 안달이 났다/~까지 못 기다릴 지경이다.

Step 1 기본 패턴 연습하기

1 **I can't wait until** I'm 21. 스물한 살 될 때까지 못 기다리겠어.

2 **I can't wait until** we meet again. 우리 다시 만날 때까지 못 기다릴 것 같아.

3 **I can't wait until** Christmas is over. 크리스마스가 제발 빨리 끝났으면 좋겠어.

4 ___________________ October. 10월까지 도저히 못 기다리겠어.

5 ___________________ you're here. 네가 여기에 올 때까지 못 기다리겠어.

Step 2 패턴 응용하기 | I can't wait to + 동사

1 **I can't wait to see** you. 널 보고 싶어 죽겠어.

2 **I can't wait to go** back home. 정말 집에 빨리 돌아가고 싶다.

3 **I can't wait to grow** up. 빨리 어른이 되었으면 좋겠어.

4 ___________________ done with high school. 고등학교를 하루라도 빨리 벗어나고 싶다.

5 ___________________ you. 너랑 하루라도 빨리 결혼하고 싶어.

Step 3 실생활에 적용하기

A Tomorrow is the big day.

B Yeah, I know. 내일까지 도저히 못 기다리겠어.

A Let's prove everyone wrong!

A 내일이 우리가 기다려오던 그날이다.

B 그래, 알아. I can't wait until tomorrow.

A 모두가 틀렸다는 걸 보여주자고!

정답 Step 1 4 I can't wait until 5 I can't wait until Step 2 4 I can't wait to be 5 I can't wait to marry

문제를 풀며 오늘 배운 표현을 완벽히 내 것으로 만드세요.

A | 영화 속 대화를 완성해 보세요.

ANNA ❶_____________________ permafrost, Olaf?
새로운 영구 동토층을 즐기는 거야, 올라프?

OLAF I'm just ❷_____________________, Anna. Oh, ❸_____________________
this could ❹_____________________!
내가 꿈꾸던 삶을 누리고 있는 중이야, 안나. 오, 이게 영원토록 계속될 수 있다면 정말 얼마나 좋을까!

ANNA Mmm. 음음.

OLAF And yet change mocks us ❺_____________________.
하지만 변화가 그녀의 아름다움으로 우리를 비웃네.

ANNA What's that? 그게 무슨 말이야?

OLAF Forgive me, ❻_____________________ me poetic. Tell me,
❼_____________________ and thus all-knowing; ❽_____________________
_____________________ the notion that nothing is permanent?
미안, 성숙함이 나를 시적으로 만드네. 말해 봐, 너는 어른이고 이제 모든 것을 다 알 테니; 그 어떤 것도
영원할 수 없다는 관념에 대해서 걱정해 본 적은 없니?

ANNA Ahhh… no. 아아... 아니.

OLAF Really? Wow, ❾_____________________ I'm aged like you, so
I don't ❿_____________________ important things.
정말? 우와, 정말 나도 빨리 너처럼 어른이 되었으면 좋겠다, 그러면 중요한 일들에 대해서 걱정하지
않아도 될 테니까.

정답 A

❶ Enjoying your new
❷ living the dream
❸ how I wish
❹ last forever
❺ with her beauty
❻ maturity is making
❼ you're older
❽ do you ever worry about
❾ I can't wait until
❿ have to worry about

B | 다음 빈칸을 채워 문장을 완성해 보세요.

1 스물한 살 될 때까지 못 기다리겠어.

_____________________ I'm 21.

2 우리 다시 만날 때까지 못 기다릴 것 같아.

_____________________ we meet again.

3 네가 여기에 올 때까지 못 기다리겠어.

_____________________ you're here.

4 고등학교를 하루라도 빨리 벗어나고 싶다.

_____________________ done with the high school.

5 너랑 하루라도 빨리 결혼하고 싶어.

_____________________ you.

정답 B

1 I can't wait until
2 I can't wait until
3 I can't wait until
4 I can't wait to be
5 I can't wait to marry

Some Things Never Change

어떤 것들은 절대 변하지 않지

크리스토프가 스벤과 대화를 나누며 노래하고 있어요. 스벤은 순록이라서 인간처럼 말을 하지 못하지만, 크리스토프는 스벤과의 대화가 가능하답니다. 자신이 말하고, 그에 대한 스벤의 대답을^{response} 자신의 입으로 복화술^{ventriloquism} 하듯이 말이에요. 스벤이 어떤 생각을 하는지는 그의 표정만^{facial expression} 봐도 알 수 있나 봐요. 크리스토프는 안나에게 청혼을^{get down on one knee} 하고 싶은데, 자연스럽고 감동스럽게^{affectingly} 청혼하는 것이 마음처럼 쉽지가 않네요. 오늘은 Some Things Never Change라는 노래를 통해서 자신의 마음을 전하고 있어요.

Warm Up! 오늘 배울 표현   오늘 등장하는 표현들입니다. 어떤 표현이 들어가야 할지 생각해 보세요.

* ＿＿＿＿＿＿＿ THE FUTURE IS CALLING. 미래가 부르는 것 같은 느낌이야.

* ＿＿＿＿＿＿＿＿＿＿＿ TONIGHT YOU'RE GONNA GET DOWN ON ONE KNEE?
너 오늘 밤에 청혼하겠다는 말이니?

* I'M REALLY ＿＿＿＿＿ PLANNING THESE THINGS OUT. 난 이런 거 계획 세우는 건 정말 못해.

* MAYBE YOU SHOULD ＿＿＿＿＿＿＿＿＿＿＿＿＿.
아무래도 로맨스 관련된 건 나한테 다 맡기는 게 좋을 것 같다.

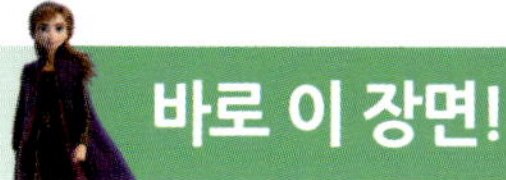

오디오 파일을 듣고 3번 따라 말해보세요.   🎧 05-1.mp3

KRISTOFF
크리스토프

THE LEAVES ARE ALREADY FALLING
SVEN, **IT FEELS LIKE** THE FUTURE IS CALLING-❶
나뭇잎들이 벌써 떨어지네
스벤, 미래가 부르는 것 같은 느낌이야–

KRISTOFF
크리스토프

ARE YOU TELLING ME TONIGHT YOU'RE GONNA GET DOWN ON
ONE KNEE?❷
너 오늘 밤에 청혼하겠다는 말이니?

KRISTOFF
크리스토프

YEAH BUT I'M REALLY **BAD AT** PLANNING THESE THINGS OUT❸
LIKE CANDLELIGHT AND PULLING OF RINGS OUT
그래 하지만 난 이런 거 계획 세우는 건 정말 못해
촛불 준비하고 반지 꺼내는 그런 거 말이야

KRISTOFF
크리스토프

MAYBE YOU SHOULD **LEAVE ALL THE ROMANTIC STUFF TO ME**❹
아무래도 로맨스 관련된 건 나한테 다 맡기는 게 좋을 것 같다

KRISTOFF
크리스토프

YEAH, SOME THINGS NEVER CHANGE
LIKE THE LOVE THAT I FEEL FOR HER
그래, 어떤 것들은 절대 변하지 않지
그녀를 향한 나의 사랑 같은 것은 말이야

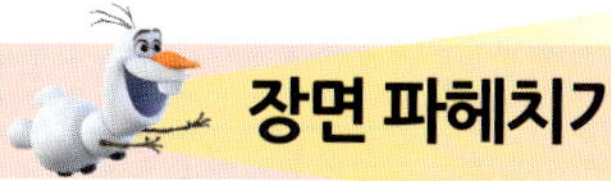

❶ IT FEELS LIKE THE FUTURE IS CALLING. 미래가 부르는 것 같은 느낌이야.

It feels like ~은 '~한 것 같은 느낌/기분이다'라는 의미이지만, 실제 문장을 해석할 때는 '느낌/기분이다'라는 말은 빼고 '~한(인) 것 같다'로만 해석하는 것이 더 자연스럽답니다.

* **It feels like** it's 40℃ outside! 밖이 40도인것 같은 느낌이야!
* **It feels like** we haven't talked in forever. 우리 대화한 지 진짜 오래된 것 같다.

❷ ARE YOU TELLING ME TONIGHT YOU'RE GONNA GET DOWN ON ONE KNEE?
너 오늘 밤에 청혼하겠다는 말이니?

Are you telling me ~? '(너 지금) ~하겠다는/라는 말이니?'라는 뜻을 가진 패턴 표현이에요. 상대방의 말에 대해서 반박하려고 하거나 부정적인 의견을 내비칠 때 주로 쓰는 패턴이랍니다. 비슷한 상황에서 Are you saying ~? 형식도 많이 쓰는데, 약간은 따지는 듯한 말투로 쓰이는 경우가 많아요. ★영화 속 패턴 익히기

❸ I'M REALLY BAD AT PLANNING THESE THINGS OUT. 난 이런 거 계획 세우는 건 정말 못해.

뭔가를 잘한다고 할 때는 good at ~을 못한다고 할 때는 bad at ~을 써서 표현해요. 어감을 더 강조하고 싶을 때는 good 대신에 great을 쓰고, bad 대신에 terrible을 쓰면 좋아요.

* She's very **good at** basketball. 그녀는 농구를 정말 잘한다.
* You are **terrible at** lying. 넌 거짓말을 참 못하는구나.

❹ MAYBE YOU SHOULD LEAVE ALL THE ROMANTIC STUFF TO ME.
아무래도 로맨스 관련된 건 나한테 다 맡기는 게 좋을 것 같다.

leave something to somebody는 '~에게 ~을 맡기다'라는 의미의 숙어예요. 자기 일을 다른 사람에게 맡기는 상황에서 쓰이는 표현이랍니다.

* **Leave it to the expert.** 그것은 전문가에게 맡겨라.
* Don't leave **your health to someone else**! 네 건강을 다른 사람의 손에 맡기면 안 돼!

오늘 배운 장면에서 뽑은 핵심 패턴으로 다양한 표현을 만들어 보세요.

🎧 05-2.mp3

Are you telling me (that) ~

너 ~하겠다는 말이니?

Step 1 기본 패턴 연습하기

1 **Are you telling me** you are not coming? 너 안 오겠다는 말이니?

2 **Are you telling me that** you can dodge hail? 네가 우박을 피할 수 있다는 말이니?

3 **Are you telling me that** she's not your wife? 그녀가 당신 아내가 아니란 말이에요?

4 _________________________ he's leaving tonight? 그가 오늘 떠난다는 얘기예요?

5 _________________________ you don't like it? 너 이게 마음에 안 든다는 말이니?

Step 2 패턴 응용하기 | Are you saying (that) ~

1 **Are you saying** we should help them? 너 우리가 그들을 도와야 한다는 말이니?

2 **Are you saying that** you don't want to be with me? 너 나와 같이 있고 싶지 않다고 하는 말이니?

3 **Are you saying** that you'd like to work together? 함께 일하고 싶다는 말이니?

4 _________________________ I'm wrong about this? 내가 그것에 대해 잘못했다는 말이니?

5 _________________________ he's sick? 그가 아프다는 말이니?

Step 3 실생활에 적용하기

A You and I are not meant for each other.

B 지금 나랑 헤어지자는 얘기니?

A I'm afraid so. I'm sorry.

A 너랑 나랑은 인연이 아닌 것 같아.

B Are you telling me you want to break up?

A 유감스럽지만 그래. 미안해.

정답 Step 1 4 Are you telling me that 5 Are you telling me that Step 2 4 Are you saying that 5 Are you saying

문제를 풀며 오늘 배운 표현을 완벽히 내 것으로 만드세요.

A | 영화 속 대화를 완성해 보세요.

KRISTOFF THE **❶**______________________ FALLING. SVEN, **❷**____________ ______________ THE FUTURE IS CALLING-
나뭇잎들이 벌써 떨어지네. 스벤, 미래가 부르는 것 같은 느낌이야—

KRISTOFF **❸**______________________ TONIGHT YOU'RE GONNA
❹______________? 너 오늘 밤에 청혼하겠다는 말이니?

KRISTOFF YEAH BUT I'M REALLY **❺**______________ PLANNING
❻______________. LIKE **❼**______________ AND
PULLING OF RINGS OUT. 그래 하지만 난 이런 거 계획 세우는 건 정말 못해. 촛불
준비하고 반지 꺼내는 그런 거 말이야.

KRISTOFF MAYBE YOU SHOULD **❽**______________
______________. 아무래도 로맨스 관련된 건 나한테 다 맡기는 게 좋을 것 같다.

KRISTOFF YEAH, **❾**______________. LIKE
THE LOVE THAT **❿**______________.
그래, 어떤 것들은 절대 변하지 않지. 그녀를 향한 나의 사랑 같은 것은 말이야.

정답 A

❶ LEAVES ARE ALREADY

❷ IT FEELS LIKE

❸ ARE YOU TELLING ME

❹ GET DOWN ON ONE KNEE

❺ BAD AT

❻ THESE THINGS OUT

❼ CANDLELIGHT

❽ LEAVE ALL THE ROMANTIC STUFF TO ME

❾ SOME THINGS NEVER CHANGE

❿ I FEEL FOR HER

B | 다음 빈칸을 채워 문장을 완성해 보세요.

1 너 안 오겠다는 말이니?

______________ you are not coming?

2 그가 오늘 떠난다는 얘기예요?

______________ he's leaving tonight?

3 너 이게 마음에 안 든다는 말이니?

______________ you don't like it?

4 너 우리가 그들을 도와야 한다는 말이니?

______________ we should help them?

5 그가 아프다는 말이니?

______________ he's sick?

정답 B

1 Are you telling me

2 Are you telling me that

3 Are you telling me that

4 Are you saying

5 Are you saying

Charades

제스처 게임

엘사, 안나, 크리스토프, 올라프, 그리고 스벤이 함께 제스처 게임을 하고 있어요. 쪽지에 적힌 단어를 몸짓으로 표현해서 자기 팀원들이 맞추게 하는 게임인데, 영어로 이 게임을 Charades라고 한답니다. 이 게임의 달인은 [master] 바로 올라프랍니다. 왜냐하면, 올라프는 자신의 신체 부위들을 [body parts] 자유자재로 [unrestrictedly] 붙였다 떼었다 할 수 있거든요. 올라프가 제스처로 힌트를 [clue] 제시하면 크리스토프가 금방 맞춘답니다. 안나는 불공평하다며 올라프가 그렇게 몸을 재배열하는 [rearrangement] 것은 금지해야 한다고 주장하네요. 자, 이제 안나와 엘사의 차례인데요, 엘사가 몸짓하고 안나가 맞춰야 하는 상황이에요. 둘은 워낙 서로 좋아하는 자매니까 척척 호흡이 맞지 않을까요?

Warm Up! 오늘 배울 표현   오늘 등장하는 표현들입니다. 어떤 표현이 들어가야 할지 생각해 보세요.

* We all __________ got it. 우리 모두 거의 다 맞췄는데.
* __________. 네 차례야.
* So much easier __________ I can read. 이제 나도 글을 읽을 수 있어서 훨씬 더 쉽네.
* This is __________. 이건 정말 식은 죽 먹기네.

ELSA
엘사
Unredeemable monster.
구제할 수 없는 괴물.

KRISTOFF
크리스토프
Greatest mistake of your life!
일생일대의 가장 큰 실수!

OLAF
올라프
Wouldn't even kiss you!
키스도 안 하려고 하네!

ANNA
안나
Villain.
악당이야.

OLAF
올라프
We all **kind of** got it. ❶
우리 모두 거의 다 맞췄는데.

KRISTOFF
크리스토프
Okay, Olaf. **You're up**. ❷
좋아. 올라프. 네 차례야.

OLAF
올라프
Okay. So much easier **now that** I can read. ❸ Lightning round, boys against girls.
좋아. 이제 나도 글을 읽을 수 있어서 훨씬 더 쉽네. 정해진 시간 안에 맞추기 게임, 남자 대 여자.

KRISTOFF
크리스토프
Okay. I'm ready, I'm ready. Go!
좋아. 난 준비됐어, 준비됐다고. 시작!

KRISTOFF
크리스토프
Unicorn. Ice cream. Castle! Oaken! Teapot! Mouse! Oooh, Elsa!
유니콘. 아이스크림. 궁전! 오큰! 찻주전자! 쥐! 오오, 엘사!

ANNA
안나
I don't think Olaf should get to rearrange.
올라프가 몸을 막 바꾸는 건 못 하게 해야 할 것 같아.

ANNA
안나
Doesn't matter. This is **going to be a cinch**. ❹ Two sisters, one mind.
상관없어. 이건 정말 식은 죽 먹기네. 두 자매, 한마음.

장면 파헤치기
구문 설명과 예문으로 이 장면의 핵심 표현을 완벽히 이해하세요.

❶ We all kind of got it. 우리 모두 거의 다 맞췄는데.

kind of는 구어체에서 '약간, 어느 정도, 거의'라는 뜻으로 쓰이는 부사예요. 무엇인가에 대해 확실한 의견을 말하고 싶지 않을 때 자주 쓰이죠. 우리말로 '좀 뭐 그런 거', '일종의 그런 거 비슷한 거' 이런 식으로 말하는 느낌이에요. 같은 의미로 sort of도 많이 쓰이는데, kind of와 sort of를 함께 패턴으로 연습해 보세요. ★ 영화 속 패턴 익히기

❷ You're up. 네 차례야.

상대방이 다음 순서/차례라는 것을 알려줄 때 쓰는 표현이에요. 비슷한 상황에서 It's your turn. 또는 You're next. 와 같은 표현들도 많이 쓰인답니다.

* **Who's up** next? 다음엔 누구 차례지?
* **Am I up** yet? 저 아직 순서가 안 됐나요?

❸ So much easier now that I can read. 이제 나도 글을 읽을 수 있어서 훨씬 더 쉽네.

〈now that + 주어 + 동사〉는 '이제 ~하게 되었으니', '이제 ~한 상황이 되었으니'라는 뜻으로 쓸 수 있는 패턴 표현이에요. 예를 들어, Now that everybody's here, we'll get started. '이제 모두 모였으니 시작할게요' 이런 식으로 활용할 수 있답니다.

* **Now that** he knows, everybody knows. 이제 그가 알게 되었으니, 모든 사람이 아는 거다.
* **Now that** I can dance, I'll go clubbing more often. 이제 나도 춤을 잘 추게 되었으니, 클럽에 더 자주 가야겠다.

❹ This is going to be a cinch. 이건 정말 식은 죽 먹기네.

우리말로 '식은 죽 먹기', '누워서 떡 먹기' 하는 식으로 뭔가 정말로 쉬운 일을 표현하는 영어표현이 많은데요, 여기에서는 세 가지만 배워볼게요. 우선, cinch, 이건 '씬치'라고 발음합니다. 그리고, a piece of cake와 a no-brainer. 모두 다 '정말 확실한/쉬운 일'이라는 뜻이에요.

* This is **going to be a piece of cake**. 완전 식은 죽 먹기가 될 거야.
* It's **a no-brainer**. 이건 바보도 할 수 있겠네.

오늘 배운 장면에서 뽑은 핵심 패턴으로 다양한 표현을 만들어 보세요.

🎧 06-2.mp3

kind of

약간, 어느 정도, 다소

Step 1 　기본 패턴 연습하기

1　I **kind of** want to quit this job. 이 일을 좀 그만두고 싶어.

2　She's **kind of** cute. 그녀는 조금 귀여운 편이야.

3　He's **kind of** strange. 걔 좀 이상해.

4　We're ____________________ each other. 우린 서로 약간 성질 내는 사이야.

5　I ____________________ you. 네가 좀 보고 싶네.

Step 2 　패턴 응용하기 | sort of

1　He's **sort of** friendly. 그는 좀 친절한 편이야.

2　She's **sort of** sociable. 그녀는 약간 사교적인 편이야.

3　I'm **sort of** an expert myself. 나도 좀 전문가예요.

4　Are you ____________________ jealous? 너 뭐 질투라도 하는거니?

5　We ____________________ hit it off. 우린 처음 만나자마자 죽이 좀 잘 맞더라고.

Step 3 　실생활에 적용하기

A　Are you guys seeing each other or something?

B　우리 요즘 좀 데이트하는 그런 관계야.

A　I knew it.

A　너희들 뭐 만나거나 그런 관계니?

B　We are kind of dating.

A　내 그럴 줄 알았지.

정답　**Step 1** 4 kind of mad at　5 kind of miss　**Step 2** 4 sort of　5 sort of

문제를 풀며 오늘 배운 표현을 완벽히 내 것으로 만드세요.

A | 영화 속 대화를 완성해 보세요.

ELSA   Unredeemable ❶_______________________. 구제할 수 없는 괴물.

KRISTOFF   Greatest ❷_______________________! 일생일대의 가장 큰 실수!

OLAF   Wouldn't ❸_______________________! 키스도 안 하려고 하네!

ANNA   Villain. 악당이야.

OLAF   We all ❹_______________________ got it. 우리 모두 거의 다 맞췄는데.

KRISTOFF   Okay, Olaf. ❺_______________________. 좋아, 올라프. 네 차례야.

OLAF   Okay. So much easier ❻_______________________ I can read. Lightning round, ❼_______________________.
좋아. 이제 나도 글을 읽을 수 있어서 훨씬 더 쉽네. 정해진 시간 안에 맞추기 게임. 남자 대 여자.

KRISTOFF   Okay. I'm ready, I'm ready. Go! 좋아. 난 준비됐어, 준비됐다고. 시작!

KRISTOFF   Unicorn. Ice cream. Castle! Oaken! Teapot! Mouse! Oooh, Elsa! 유니콘. 아이스크림. 궁전! 오큰! 찻주전자! 쥐! 오오, 엘사!

ANNA   I don't think Olaf should ❽_______________________.
올라프가 몸을 막 바꾸는 건 못 하게 해야 할 것 같아.

ANNA   Doesn't ❾_______________________. This is ❿_______________________. Two sisters, one mind.
상관없어. 이건 정말 식은 죽 먹기네. 두 자매, 한마음.

정답 A

❶ monster
❷ mistake of your life
❸ even kiss you
❹ kind of
❺ You're up
❻ now that
❼ boys against girls
❽ get to rearrange
❾ matter
❿ going to be a cinch

B | 다음 빈칸을 채워 문장을 완성해 보세요.

1 그녀는 조금 귀여운 편이야.
   She's _______________________ cute.

2 우린 서로 약간 성질 내는 사이야.
   We're _______________________ each other.

3 네가 좀 보고 싶네.
   I _______________________ you.

4 너 뭐 질투라도 하는거니?
   Are you _______________________ jealous?

5 우린 처음 만나자마자 죽이 좀 잘 맞더라고.
   We _______________________ hit it off.

정답 B

1 kind of
2 kind of mad at
3 kind of miss
4 sort of
5 sort of

Elsa, Not a Big Fan of Charades

제스처 게임을 별로 좋아하지 않는 엘사

제스처 게임을 할 때 안나와 엘사의 호흡이 잘 맞을지^{work in harmony} 알았는데, 엘사가 뭔가에 정신이 팔렸는지^{have something on her mind} 정확히 힌트를 못 주네요. 게임하고 싶어 하는 의욕이^{desire} 느껴지지 않아요. 안나가 걱정되어 물어보니, 엘사가 피곤해서 그렇다면서 자러 가겠다고^{turn in} 하네요. 올라프도 그 얘길 듣고 자기도 피곤하니 자러 가겠다고 하는데 스벤이 자기 전에 올라프에게 동화를 읽어주기로 했나 봐요. 올라프가 엄청 기대하네요^{looking forward to it}. 이 와중에, 크리스토프는 뭔가 할 일이 남았나 봐요. 올라프와 스벤에게 먼저 가라고 하고, 안나와 단둘이 있고 싶어 하는 눈치예요.

Warm Up! 오늘 배울 표현 오늘 등장하는 표현들입니다. 어떤 표현이 들어가야 할지 생각해 보세요.

* Oh, ______________________? 오, 있잖아.

* I think I'll ____________. 난 이만 자러 가야 할 것 같아.

* I just need to go talk to some rocks about my childhood ____________.
  내 어린 시절 같은 것들에 대해서 돌들에게 가서 얘기해야 해.

* ____________ you guys start without me? 너희들 나 없이 먼저 시작하는 건 어때?

오디오 파일을 듣고 3번 따라 말해보세요.   07-1.mp3

ELSA
엘사

Oh, **you know what?**❶ I think I'll **turn in.**❷
오, 있잖아, 난 이만 자러 가야 할 것 같아.

ANNA
안나

Are you okay?
언니 괜찮아?

ELSA
엘사

Just tired. Good night.
그냥 피곤해서 그래. 잘 자.

OLAF
올라프

Yeah, I'm tired, too. And Sven promised to read me a bedtime story, didn't you, Sven?
어, 나도 피곤하네. 그리고 스벤이 나 잠잘 때 동화 읽어주기로 약속했어. 그렇지 않니, 스벤?

KRISTOFF
크리스토프

Did I?
내가 그랬나?

OLAF
올라프

Oh, you do the best voices. Like when you pretend to be Kristoff. And you're like... I just need to go talk to some rocks about my childhood **and stuff.**❸
오, 네 목소리 연기는 최고야. 네가 크리스토프 흉내 내는 그런 연기. 그리고 너는 말이지… 내 어린 시절 같은 것들에 대해서 돌들에게 가서 얘기해야 해.

KRISTOFF
크리스토프

How about you guys start without me?❹
너희들 나 없이 먼저 시작하는 건 어때?

❶ Oh, **you know what?** 오, 있잖아.

말을 시작하기 전에 attention-getter '주의를 집중시키는 역할을 하는 말, 이목을 끄는 말'로 사용하는 표현이에요. '있잖아', '그거 알아?', '근데 말이야' 등의 의미로 해석하면 자연스럽습니다.

* **You know what?** Pamela is here. 있잖아, 파멜라가 왔어.
* **You know what?** I don't think I belong here. 있잖아, 난 여기 있을 사람이 아닌 것 같아.

❷ I think I'll **turn in.** 난 이만 자러 가야 할 것 같아.

잠자리에 드는 것을 가장 단순하게는 sleep이라고 하고, 조금 더 길게는 go to bed, go to sleep이라고도 표현한답니다. 그런데, 여기에 나오는 turn in도 '잠자리에 들다'라는 뜻으로 자주 쓰이니 함께 알아두셔요.

* I **turned in** early last night. 나 어젯밤엔 일찍 잠자리에 들었다.
* What time do you usually **turn in** at night? 밤에 보통 몇 시에 자니?

❸ I just need to go talk to some rocks about my childhood **and stuff.**
내 어린 시절 같은 것들에 대해서 돌들에게 가서 얘기해야 해.

구어체에서 문장의 끝에 and stuff를 넣어 '~같은 (시시한) 것'이라는 의미로 써요. 이것저것 나열한 후에 마지막에 이걸 넣어주면 해석이 보통 '뭐 그런 것들' 정도가 되는 경우가 많답니다.

* I did some running and swimming **and stuff**. 달리기도 하고 수영도 하고 뭐 그런 것 좀 했어.
* The store sells toys and books **and stuff**. 그 가게에서는 장난감하고 책하고 뭐 그런 것들 팔아.

❹ **How about** you guys start without me? 너희들 나 없이 먼저 시작하는 건 어때?

상대방에게 제안이나 권유를 할 때 쓰는 표현으로 How about ~?을 정말 많이 쓰는데요, 이것을 패턴 문장으로 연습해 볼게요. How about ~대신에 같은 상황에서 Why don't you ~를 쓰는 경우도 많아요. How about 뒤에는 '주어 + 동사' 형식이 따라오거나 '명사구'가 따라오는데 반해, Why don't you 뒤에는 '동사'가 따라온답니다.

★영화 속 패턴 익히기

 오늘 배운 장면에서 뽑은 핵심 패턴으로 다양한 표현을 만들어 보세요.

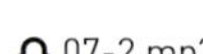 07-2.mp3

How about ~?

~하는 게 어때?

Step 1 기본 패턴 연습하기

1 **How about** you drive? 네가 운전하는 게 어때?

2 **How about** we do it together? 우리 같이하는 게 어때?

3 **How about** Italian? 이탈리안 음식 어때?

4 ___________________ take you out for dinner? 내가 너에게 저녁 사주면 어떨까?

5 ___________________ tonight? 오늘 밤에 영화 보는 건 어때?

Step 2 패턴 응용하기 | Why don't you ~?

1 **Why don't you** go home? 집에 가는 건 어때?

2 **Why don't you** take it outside? 밖에 나가서 하는 건 어떠니?

3 **Why don't you** take a seat over there? 저쪽에 있는 자리에 앉아줄래?

4 ___________________ that job? 그 일에 지원해 보는 게 어떠니?

5 ___________________ me later? 이건 나중에 물어보는 게 어떠니?

Step 3 실생활에 적용하기

A What do you want for lunch?

B 피자 시키는 거 어때?

A Pizza sounds good to me.

A 점심으로 뭐 먹을래?

B How about ordering some pizza?

A 피자 좋지.

정답 Step 1 **4** How about I **5** How about watching a movie Step 2 **4** Why don't you apply for **5** Why don't you ask

문제를 풀며 오늘 배운 표현을 완벽히 내 것으로 만드세요.

A | 영화 속 대화를 완성해 보세요.

ELSA Oh, ❶______________? I think I'll ❷______________.
오, 있잖아. 난 이만 자러 갈게.

ANNA ❸______________? 언니 괜찮아?

ELSA ❹______________. Good night. 그냥 피곤해서 그래. 잘 자.

OLAF Yeah, I'm tired, too. And Sven promised to ❺______________
______________, didn't you, Sven?
어, 나도 피곤하네. 그리고 스벤이 나 잠잘 때 동화 읽어주기로 약속했어. 그렇지 않니, 스벤?

KRISTOFF Did I? 내가 그랬나?

OLAF Oh, you do the ❻______________. Like when you
❼______________ Kristoff. And you're like... I just
need to ❽______________ about my childhood
❾______________. 오, 네 목소리 연기는 최고야. 네가 크리스토프 흉내 내는 그런 연기.
그리고 너는 말이지… 내 어린 시절 같은 것들에 대해서 돌들에게 가서 얘기해야 해.

KRISTOFF ❿______________ you guys start without me?
너희들 나 없이 먼저 시작하는 건 어때?

정답 A

❶ you know what
❷ turn in
❸ Are you okay
❹ Just tired
❺ read me a bedtime story
❻ best voices
❼ pretend to be
❽ go talk to some rocks
❾ and stuff
❿ How about

B | 다음 빈칸을 채워 문장을 완성해 보세요.

1 우리 같이하는 게 어때?
______________ we do it together?

2 내가 너에게 저녁 사주면 어떨까?
______________ take you out for dinner?

3 오늘 밤에 영화 보는 건 어때?
______________ tonight?

4 그 일에 지원해 보는 게 어떠니?
______________ that job?

5 이건 나중에 물어보는 게 어떠니?
______________ me later?

정답 B

1 How about

2 How about I

3 How about watching a movie

4 Why don't you apply for

5 Why don't you ask

Elsa Will Always Have Anna
엘사에겐 항상 안나가 있다네

언니가 기분이 좋은지 안 좋은지 딱 보면 아는 안나가 엘사에게 뭔가 근심이 ^{concerns} 있는 것을 눈치채고 ^{sense} 그녀에게 다가갑니다. 아마도 제스처 게임을 제대로 못해서 속상한 것 ^{upset} 같다고 생각하면서 말이에요. 그런데, 그건 안나가 완전 잘못 집은 거예요. 엘사는 제스처 게임 때문이 아니라 그것보다는 훨씬 더 근원적인 ^{profound} 문제 때문에 고민이 있거든요. 안나가 그것이 무엇이든 간에 걱정하지 말라고 위로하며 ^{comfort} 언니를 응원하네요. 자신이 항상 언니와 함께할 거라면서요.

Warm Up! 오늘 배울 표현   오늘 등장하는 표현들입니다. 어떤 표현이 들어가야 할지 생각해 보세요.

* **Did we** ____________________**?** 우리가 네 감정을 상하게 했니?

* ____________________. 잘못 집었어.

* **I just don't want to** ____________________. 난 그냥 일을 망치고 싶지 않아서 그래.

* ____________________ **you?** 너 없으면 나는 어떻게 사니?

ANNA
안나
Yep. Something's wrong.
맞네. 뭔가 문제가 있네.

ELSA
엘사
With you?
너한테?

ANNA
안나
No, with you. You're wearing mother's scarf. You do that when something's wrong. Did we **hurt your feelings**?❶ I'm so sorry if we did. You know, very few people are actually good at family games. That's just a fact.
아니, 언니한테. 어머니의 스카프를 하고 있잖아. 그건 뭔가 문제가 생겼을 때 언니가 하는 행동이잖아. 우리가 언니 감정을 상하게 했나? 그런 거면 미안해. 알잖아. 원래 가족 게임 잘하는 사람은 세상에 몇 명 없어. 그게 사실이야.

ELSA
엘사
No.... **That's not it.**❷
아니…. 잘못 집었어.

ANNA
안나
Then what is it?
그럼 뭐 때문에 그러는 건데?

ELSA
엘사
...There's this... I just don't want to **mess things up**.❸
…그니까 이런… 난 그냥 일을 망치고 싶지 않아서 그래.

ANNA
안나
What things? You're doing great. Oh Elsa, when are you going to see yourself the way I see you?
어떤 일을? 언니 엄청 잘하고 있잖아. 오, 엘사, 언제나 내가 언니를 생각하는 것처럼 언니도 자기 자신에 대해서 생각하게 될까?

ELSA
엘사
What would I do without you?❹
너 없으면 나는 어떻게 사니?

ANNA
안나
You'll always have me.
난 항상 언니 곁에 있을 거야.

❶ **Did we hurt your feelings?** 우리가 네 감정을 상하게 했니?

hurt는 '아프게 하다', '상처를 주다'라는 의미로 쓰이는 동사예요. hurt는 과거형도 과거분사도 모두 hurt랍니다. feelings는 '감정'이라는 뜻인데, 끝에 s가 있어야만 '감정'이라는 뜻이 되고, s가 없으면 한순간 느끼는 '느낌'이 됩니다. 느낌들이 모여서 감정이 되는 것으로 생각하면 되겠네요.

* You **hurt me**. 네가 나에게 상처를 줬어.
* Don't **hurt other people's feelings!** 다른 사람들의 마음을 아프게 하지 마라!

❷ **That's not it.** 잘못 집었어.

상대방이 한 말에 대해서 그건 이 일과 무관하다고 하거나 부정적으로 답할 때 쓰는 표현이에요. 우리말로 '그건/ 그게 아니야', '잘못 집었다'와 비슷한 표현이랍니다.

* A: Are you upset we lost the game? 우리가 그 경기에서 졌다고 내게 화내는 거니?
  B: No, **that's not it.** 아니. 그런 건 아냐.

❸ **I just don't want to mess things up.** 난 그냥 일을 망치고 싶지 않아서 그래.

mess up은 구어체에서 '~을 엉망으로 만들다', '다 망치다'라는 의미로 쓰이는 표현이에요. 더럽게 만들거나 어지럽히는 것을 나타낼 때도 쓸 수 있고요. 참고로, mess를 형용사로 만들어서 messy라고 하면 '지저분한, 엉망인'이라는 뜻이 되지요.

* Let's not **mess it up**. 우리 이 일을 망치지 말자.
* Wind keeps **messing up my hair**. 바람이 계속 내 머리를 헝클어 놓고 있다.

❹ **What would I do without you?** 너 없으면 나는 어떻게 사니?

상대방이 내 삶에 너무나도 도움이 되는 존재라서 그/그녀가 없이는 못 살 것 같을 때 '나 너 없으면 어떻게 사니/ 하니?' 이런 표현을 하잖아요? 그럴 때 쓰는 영어표현이 What would I do without you?랍니다. 이 표현을 활용해서 패턴 연습을 해 볼게요. 뒷부분을 without으로 하지 않고 if로 바꿔서 '만약에 ~하면 난 무엇을 하지/어떻게 하지?' 이런 의미의 표현도 함께 연습해 볼게요.

★ 영화 속 패턴 익히기

오늘 배운 장면에서 뽑은 핵심 패턴으로 다양한 표현을 만들어 보세요.

🎧 08-2.mp3

What would I do without ~?

~없으면 난 어떻게 살까?

Step 1 기본 패턴 연습하기

1 **What would I do without** my phone? 내 전화가 없으면 난 어떻게 살까?

2 **What would I do without** your smile? 네 미소가 없으면 난 어떻게 사니?

3 **What would I do without** these songs? 이 노래들이 없으면 난 어떻게 살까?

4 .... my mom? 우리 엄마가 없으면 난 어떻게 하니?

5 .... the love of my family? 우리 가족의 사랑이 없으면 난 어떻게 살까?

Step 2 패턴 응용하기 | What would I do if ~?

1 **What would I do if** you weren't my husband? 당신이 내 남편이 아니었다면 난 어떻게 살까요?

2 **What would I do if** I could fly? 내가 날 수 있다면 난 무엇을 할까?

3 **What would I do if** I didn't have to work? 일을 안 해도 된다면 난 무엇을 할까?

4 .... was no one to help me? 날 도와줄 사람이 아무도 없다면 난 어떻게 할까?

5 .... live forever? 내가 영원히 살 수 있다면 난 무엇을 할까?

Step 3 실생활에 적용하기

A You are always on your computer.

B I know. 컴퓨터 없으면 난 어떻게 살까?

A I think you should go out and get some fresh air once in a while.

A 넌 맨날 컴퓨터만 하는구나.

B 알아. What would I do without my computer?

A 내 생각에 넌 좀 밖으로 나가서 가끔 바람 좀 쐬고 그래야 할 것 같아.

정답 Step 1 4 What would I do without 5 What would I do without Step 2 4 What would I do if there 5 What would I do if I could

문제를 풀며 오늘 배운 표현을 완벽히 내 것으로 만드세요.

A | 영화 속 대화를 완성해 보세요.

ANNA Yep. ❶_______________________. 맞네. 뭔가 문제가 있네.

ELSA With you? 너한테?

ANNA No, with you. You're wearing mother's scarf. You do that when something's wrong. Did we ❷_______________________? I'm so sorry if we did. You know, very ❸_______________________ _______________________ good at family games. That's just a fact.
아니, 언니한테. 어머니의 스카프를 하고 있잖아. 그건 뭔가 문제가 생겼을 때 언니가 하는 행동이잖아. 우리가 언니 감정을 상하게 했나? 그런 거면 미안해. 알잖아, 원래 가족 게임 잘하는 사람은 세상에 몇 명 없어. 그게 사실이야.

ELSA No.... ❹_______________________. 아니⋯. 잘못 집었어.

ANNA Then ❺_______________________? 그럼 뭐 때문에 그러는 건데?

ELSA ...There's this... I just don't want to ❻_______________________.
⋯그니까 이런⋯ 난 그냥 일을 망치고 싶지 않아서 그래.

ANNA What things? ❼_______________________. Oh Elsa, when are you going to see yourself ❽_______________________?
어떤 일을? 언니 엄청 잘하고 있잖아. 오, 엘사. 언제나 내가 언니를 생각하는 것처럼 언니도 자기 자신에 대해서 생각하게 될까?

ELSA ❾_______________________ you? 너 없으면 나는 어떻게 사니?

ANNA You'll ❿_______________________. 난 항상 언니 곁에 있을 거야.

B | 다음 빈칸을 채워 문장을 완성해 보세요.

1 네 미소가 없으면 난 어떻게 사니?

_______________________ your smile?

2 우리 엄마가 없으면 난 어떻게 하니?

_______________________ my mom?

3 우리 가족의 사랑이 없으면 난 어떻게 살까?

_______________________ the love of my family?

4 날 도와줄 사람이 아무도 없다면 난 어떻게 할까?

_______________________ was no one to help me?

5 내가 영원히 살 수 있다면 난 무엇을 할까?

_______________________ live forever?

Into the Unknown

미지의 세계로

언젠가부터 어디선가 들려오는 신비스럽고 아름다운 소리. 이 목소리의 외침은 엘사에게만 들린답니다. 엘사도 그 사실을 알고 이 목소리는 평범한 소리가 아닌 누군가가 자신에게 보내는 신호라고 생각하죠. 그런데, 그 신호를 따라가면 혹시라도 지금의 평화로운 삶이^{peaceful life} 깨져버릴까 봐 그 목소리가 들릴 때면 심장이 콩닥콩닥^{pit-a-pat} 두근거리며 불안해합니다. 이제 엘사가 그 목소리에게 화답하는 노래를 시작하네요. 처음에는 목소리의 유혹을^{allurement} 거부하는^{refuse} 노래인 줄 알았는데, 점점 목소리와 공감대를 형성하며^{relatable} 목소리가 부르는 쪽으로 향해가고 있어요. 미지의 세계로 나가고 싶은 엘사의 갈망을 담은 노래, Into the Unknown을 들어보시죠.

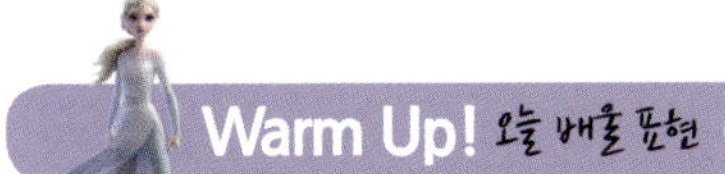

오늘 등장하는 표현들입니다. 어떤 표현이 들어가야 할지 생각해 보세요.

* ________________ **DISTRACT ME.** 내 정신을 산란하게 만들려고 온 거야.

* **ARE YOU SOMEONE** ________ **WHO'S A LITTLE BIT LIKE ME?**
혹시 너 나랑 조금은 닮은 그런 존재니?

* **WHO KNOWS** ________ **I'M NOT WHERE I'M MEANT TO BE?**
마음속으로는 내가 있어야 할 곳에 있지 않은 것 같은 나를 아는?

* **DON'T YOU KNOW THERE'S PART OF ME THAT** ________________.
마음 한쪽에서는 내가 떠나기를 갈망한다는 걸 모르니.

ELSA
엘사

WHAT DO YOU WANT?
CAUSE YOU'VE BEEN KEEPING ME AWAKE
ARE YOU HERE TO DISTRACT ME❶
SO I MAKE A BIG MISTAKE?

뭘 원하니?
네가 날 잠도 못 자고 계속 깨어있게 하잖아
내 정신을 산란하게 만들려고 온 거야
내가 큰 실수를 하게 하려고?

ELSA
엘사

OR ARE YOU SOMEONE **OUT THERE** WHO'S A LITTLE BIT LIKE ME❷
WHO KNOWS **DEEP DOWN** I'M NOT WHERE I'M MEANT TO BE?❸
EVERY DAY'S A LITTLE HARDER AS I FEEL MY POWER GROW
DON'T YOU KNOW THERE'S PART OF ME THAT **LONGS TO GO**❹

아니면 혹시 너 나랑 조금은 닮은 그런 존재니
마음속으로는 내가 있어야 할 곳에 있지 않은 것 같은 나를 아는?
내 능력이 자라면서 하루하루가 조금씩 더 힘들어져
마음 한쪽에서는 내가 떠나기를 갈망한다는 걸 모르니

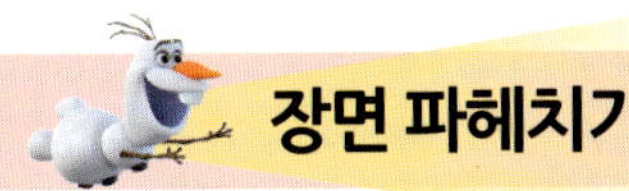

❶ ARE YOU HERE TO DISTRACT ME? 내 정신을 산란하게 만들려고 온 거야?

'난 ~을 하러 왔다'라고 말할 때는 I'm here to ~라는 표현을 써요. 물론, I came here to ~라고 해도 전혀 문제없지만, 보통 간단하게 I'm here to ~라고 말하는 경우가 많아요. 이 표현을 의문문에 적용해서 Are you here to ~?라고 하면 '~하러 왔니?'라는 의미가 되겠죠.

* **Are you here to** make friends? 넌 여기 친구 사귀러 왔니?
* **I'm here to** see Mr. Dean. 미스터 딘을 만나러 왔어요.

❷ ARE YOU SOMEONE OUT THERE WHO'S A LITTLE BIT LIKE ME? 혹시 너 나랑 조금은 닮은 그런 존재니?

위의 문장에서는 out there를 번역하면 문장 전체의 흐름이 많이 어색해져서 따로 번역하지는 않았어요. out there는 뭔가 우리가 모르는 미지의 세계, 경험하지 못한 세상, 위험한 세상 같은 것에 대해 말할 때 쓰이는 표현이에요. 우리말로 따로 해석하기엔 다소 무리가 있는 표현이니, 문맥에 맞게 '바깥세상에', '밖에 나가면' 등 적절한 말을 넣어 문장을 이해해야 할 것 같아요.

* Are there any good jobs **out there**? 세상에 좋은 직업이 있나?
* It's a jungle **out there**. 밖에 나가면 정글이야.

❸ WHO KNOWS DEEP DOWN I'M NOT WHERE I'M MEANT TO BE?
마음속으로는 내가 있어야 할 곳에 있지 않은 것 같은 나를 아는?

〈be동사 + meant to + 동사〉는 '(원래는/애초에) ~을 할 운명이다, ~하게 되어 있다'라는 표현이에요. 예를 들어, We are meant to be together. '우리는 애초에 함께 할 운명이다' 이렇게 쓸 수 있답니다. 그런데, 여기에서 강조할 부분은 deep down인데요, 이 표현은 겉으로는 잘 드러나지 않지만 사실 '마음속 깊은 곳에서는'이라는 뜻으로 쓰는 숙어예요. deep down in my heart 또는 deep down inside라고 말하는 경우도 많은데, 뒷부분을 생략하고 deep down만 써도 의미는 같답니다. 이 표현을 패턴 문장으로 연습해 볼게요.

★ 영화 속 패턴 익히기

❹ DON'T YOU KNOW THERE'S PART OF ME THAT LONGS TO GO.
마음 한쪽에서는 내가 떠나기를 갈망한다는 걸 모르니.

〈long to + 동사〉는 '~을 갈망/열망하다'는 뜻이에요. '~을 원하다'라는 뜻의 want to나 would like to보다 훨씬 더 강한 어감이지요.

* Do you **long to** make a difference in the world? 세상을 변화시키기를 갈망하나요?
* Drew **longs to** be a successful musician. 드류는 성공한 음악가가 되기를 갈망한다.

🎧 09-2.mp3

deep down

마음속 깊은 곳에서(는)

Step 1   기본 패턴 연습하기

1 **Deep down**, I still love you. 마음속 깊은 곳에서는, 난 아직도 널 사랑해.

2 It hurts, **deep down**. 마음속 깊은 곳에서는, 아프다.

3 **Deep down**, I knew you'd always be there for me.
마음속 깊은 곳에서는, 네가 나를 위에 늘 거기에 있다는 걸 알았어.

4 ______________________________, I never trusted him. 마음속 깊은 곳에서는, 난 그를 신뢰한 적이 전혀 없었어.

5 I know you want to follow your dream, ______________________________.
너가 네 꿈을 따르길 원한다는 거 알아. 마음속 깊은 곳에서는.

Step 2   패턴 응용하기 | deep down in my heart

1 **Deep down in my heart**, I didn't want to leave. 내 마음속 깊은 곳에서는, 난 떠나고 싶지 않았어.

2 I really need you, **deep down in my heart**. 난 정말 네가 필요해. 마음속 깊은 곳에서는.

3 **Deep down in my heart**, Gabby was the only one I really loved.
마음속 깊은 곳에서는, 내가 사랑한 유일한 사람은 개비밖에 없었어.

4 I believe in him, ______________________________. 난 그를 믿어, 마음속 깊은 곳에서는.

5 ______________________________, I truly believe that we are meant to be together.
마음속 깊은 곳에서는, 우리의 만남이 운명이라고 진심으로 믿어.

Step 3   실생활에 적용하기

A Are you saying you have feelings for me?   A 너 나한테 감정이 있다는 말이니?

B 마음속 깊은 곳에서는, 난 널 항상 사랑해 왔어.   B Deep down, I've always loved you.

A Really? I never knew!   A 정말? 전혀 몰랐어!

정답   **Step 1** 4 Deep down 5 deep down   **Step 2** 4 deep down in my heart 5 Deep down in my heart

문제를 풀며 오늘 배운 표현을 완벽히 내 것으로 만드세요.

A | 영화 속 대화를 완성해 보세요.

ELSA ❶ _____________________________? CAUSE YOU'VE BEEN
❷ _____________________ ❸ _____________________
DISTRACT ME SO I ❹ _____________________?

뭘 원하니? 네가 날 잠도 못 자고 계속 깨어있게 하잖아. 내 정신을 산란하게 만들려고 온 거야 내가 큰 실수를 하게 하려고?

ELSA OR ARE YOU SOMEONE ❺ _____________________ WHO'S A
LITTLE BIT LIKE ME? WHO KNOWS ❻ _____________________
I'M NOT WHERE ❼ _____________________? EVERY DAY'S
A LITTLE HARDER AS I FEEL MY ❽ _____________________.
❾ _____________________ THERE'S PART OF ME THAT
❿ _____________________.

아니면 혹시 너 나랑 조금은 닮은 그런 존재니? 마음속으로는 내가 있어야 할 곳에 있지 않은 것 같은 나를 아는? 내 능력이 자라면서 하루하루가 조금씩 더 힘들어져. 마음 한쪽에서는 내가 떠나기를 갈망한다는 걸 모르니.

정답 A

❶ WHAT DO YOU WANT
❷ KEEPING ME AWAKE
❸ ARE YOU HERE TO
❹ MAKE A BIG MISTAKE
❺ OUT THERE
❻ DEEP DOWN
❼ I'M MEANT TO BE
❽ POWER GROW
❾ DON'T YOU KNOW
❿ LONGS TO GO

B | 다음 빈칸을 채워 문장을 완성해 보세요.

1 마음속 깊은 곳에서는, 난 아직도 널 사랑해.

_____________________, I still love you.

2 마음속 깊은 곳에서는, 난 단 한 번도 그를 신뢰한 적이 없었어.

_____________________, I never trusted him.

3 너가 네 꿈을 따르길 원한다는 거 알아, 마음속 깊은 곳에서는.

I know you want to follow your dream, _____________________.

4 난 그를 믿어, 마음속 깊은 곳에서는.

I believe in him, _____________________.

5 마음속 깊은 곳에서는, 우리의 만남이 운명이라고 진심으로 믿어.

_____________________, I truly believe that we are meant to be together.

정답 B

1 Deep down
2 Deep down
3 deep down
4 deep down in my heart
5 Deep down in my heart

The Magical Spirits

마법의 정령들

엘사와 신비의 목소리의 하모니가 끝난 후 엄청난 일이 벌어졌어요. 마법의 숲의 정령들이 깨어나서 아렌델 왕국을 공격하고 있어요. 물의 정령이 물을 다 말려버리고^{dry up}, 불의 정령은 왕국의 불을 다 꺼버리고, 바람의 정령이 불어 사람들이 몸을 가누지 못할 지경이에요. 마지막 남은 건 땅의 정령인데, 이것이 노하면^{rage} 아렌델 사람들이 큰 위험에 처하니 모두 절벽 위로 대피하고^{evacuate} 있네요. 이제야 엘사가 안나에게 고백합니다^{make a confession}. 그동안 어떤 알 수 없는 목소리가 자신을 계속 불렀고 그에 응답하니 이런 일이 벌어졌다고, 자기가 정령을 깨운 것 같다고 말이죠. 이런 일이 벌어질 동안 자신에게 말도 안 했냐고 안나가 버럭 화를 내네요^{lose her temper}.

Warm Up! 오늘 배울 표현

오늘 등장하는 표현들입니다. 어떤 표현이 들어가야 할지 생각해 보세요.

* **We made a promise not to**   . 서로를 인생에서 차단하지 않겠다고 약속했잖아.

*   **Father warned us about?** 아버지가 우리에게 경고했던 그 숲?

*   **?** 그런 짓을 대체 왜 한 거야?

*   **my magic can feel it.** 단지 나의 마법이 그것을 느끼기 때문에 그래.

ANNA
안나
Okay, I don't understand, you have been hearing a voice and you didn't think to tell me?
자, 난 이해가 안 돼. 목소리를 들었으면서 나한테 말할 생각을 안 했단 말이야?

ELSA
엘사
I didn't want to worry you.
걱정시키고 싶지 않아서 그랬어.

ANNA
안나
We made a promise not to **shut each other out**. ❶
서로를 인생에서 차단하지 않겠다고 약속했잖아.

ANNA
안나
Just tell me what's going on.
무슨 일인지 어서 얘기해 봐.

ELSA
엘사
I woke the magical spirits of the enchanted forest.
내가 마법의 숲에 있는 마법의 정령들을 깨웠어.

ANNA
안나
Okay, that's definitely not what I thought you were going to say. Wait, the enchanted forest? **The one** Father warned us about? ❷
어, 그건 확실히 내가 생각했던 언니의 입에서 나올 말이 아닌데. 가만, 마법의 숲이라고? 아버지가 우리에게 경고했던 그 숲?

ELSA
엘사
Yes.
맞아.

ANNA
안나
Why would you do that? ❸
그런 짓을 대체 왜 한 거야?

ELSA
엘사
Because of the voice. I know it sounds crazy, but I believe whoever is calling me, is good.
목소리 때문이었어. 정신 나간 소리처럼 들린다는 건 나도 알지만. 누가 나를 부르는지는 몰라도 그 존재가 선한 존재라는 걸 난 믿어.

ANNA
안나
How can you say that? Look at our kingdom!
어떻게 그렇게 말할 수 있지? 우리의 왕국을 보라고!

ELSA
엘사
I know. **It's just that** my magic can feel it. ❹ I can feel it.
나도 알아. 단지 나의 마법이 그것을 느끼기 때문에 그래. 내가 느낄 수 있다고.

장면 파헤치기

구문 설명과 예문으로 이 장면의 핵심 표현을 완벽히 이해하세요.

---

❶ We made a promise not to shut each other out. 서로를 인생에서 차단하지 않겠다고 약속했잖아.

shut somebody/something out은 '~을 (못 들어가게) 차단하다, (생각, 삶 등에서) 배제/제외시키다'라는 의미의 숙어예요. 상대방과 소통하지 않고 그/그녀의 접근을 아예 차단하는 것을 말할 때 쓰는 표현이랍니다.

* I cannot believe you are **shutting me out**. 네가 나를 배제하다니 믿기지 않네.
* I will never **shut you out** again. 다시는 너를 제외하지 않을게.

---

❷ The one Father warned us about? 아버지가 우리에게 경고했던 그 숲?

〈The one + 주어 + 동사〉 형식은 '~한 그것/사람'이라는 뜻이에요. The one 대신에 the person, the man, the woman과 같이 표현할 수도 있지만, the one은 포괄적으로 더 광범위하게 쓸 수 있답니다.

* He's **the one** I mentioned to you before. 너에게 전에 말했던 사람이 바로 저 사람이야.
* She's **the one** I was looking for. 내가 찾던 사람이 바로 그녀야.

---

❸ Why would you do that? 그런 짓을 대체 왜 한 거야?

이 문장에서 중요한 부분은 바로 would예요. would가 들어가서 상대방의 행동이 이해되지 않는다는 듯이 '대체 왜 (어떤 의도로) 이런 행동을 하는 거야?'라고 묻는 뉘앙스가 되죠. would의 자리에 did를 넣으면 단순히 왜 그런 행동을 했냐고 이유를 묻는 것이지요. Why did you do that? '왜 그랬니?' 이렇게 말이에요.

* **Why would you** quit that job? 그 직장을 대체 왜 그만둔 건데?
* **Why would she** call you? 그녀가 왜 너에게 전화한 거지?

---

❹ It's just that my magic can feel it. 단지 나의 마법이 그것을 느끼기 때문에 그래.

〈It's just that + 주어 + 동사〉는 '단지/그냥 ~해서 그래 (그런 것뿐이야)'라고 상대방에게 자신의 행동, 말, 상태 등에 대한 이유를 댈 때 쓰는 표현이에요. 정확하게 이유를 말한다기보다는, 자신이 왜 그렇게 행동/말하는지에 대한 자신의 속마음을 털어놓으며 쓰는 경우가 많아요. It's just because로 바꿔서 쓸 수도 있는데, 이 경우에는 조금 더 '이유'에 집중해서 말을 하는 느낌이에요.

★ 영화 속 패턴 익히기

🎧 10-2.mp3

It's just that ~

단지/그냥 ~해서 그런 거야. (그런 것일 뿐이야)

Step 1   기본 패턴 연습하기

1 **It's just that** I'm only ten. 난 아직 10살밖에 안 돼서 그래요.

2 **It's just that** I never expected it. 절대 이럴 거라고 기대하진 않아서 그래요.

3 **It's just that** no one makes me feel this way. 그냥 이런 기분을 느끼게 만든 사람이 없어서 그래.

4 .... I don't really care for them. 그냥 난 별로 그들에게 관심이 없어서 그럴 뿐이야.

5 .... you are so beautiful. 단지 당신이 너무 아름다워서 그럴 뿐이에요.

Step 2   패턴 응용하기 | It's just because ~

1 **It's just because** I love you. 단지 내가 널 사랑하기 때문에 그런 거야.

2 **It's just because** we care about you. 단지 우리는 너에게 관심이 있어서 그런 거야.

3 **It's just because** they are scared. 그냥 그들은 무서워서 그런 거야.

4 .... you've changed so much. 그냥 네가 너무 많이 변해서 그런 거야.

5 .... I don't want to stand out. 그냥 튀고 싶지 않아서 그래요.

Step 3   실생활에 적용하기

A Why wouldn't you hang out with us?

B 그냥 내가 지금 너무 바빠서 그래.

A But you should take time to relax and have fun.

A 넌 왜 우리랑 같이 안 놀려고 하니?

B It's just that I'm swamped with work right now.

A 하지만 너는 쉴 시간을 갖고 좀 즐겨야 할 것 같아.

정답   Step 1   **4** It's just that   **5** It's just that   Step 2   **4** It's just because   **5** It's just because

확인학습

문제를 풀며 오늘 배운 표현을 완벽히 내 것으로 만드세요.

A | 영화 속 대화를 완성해 보세요.

ANNA Okay, I don't understand, you ❶----------- and you didn't think to tell me?
자, 난 이해가 안 돼. 목소리를 들었으면서 나한테 말할 생각을 안 했단 말이야?

ELSA I didn't ❷-----------. 걱정시키고 싶지 않아서 그랬어.

ANNA We made a promise not to ❸-----------.
서로를 인생에서 차단하지 않겠다고 약속했잖아.

ANNA Just tell me ❹-----------. 무슨 일인지 어서 얘기해 봐.

ELSA I woke the magical spirits of the enchanted forest.
내가 마법의 숲에 있는 마법의 정령들을 깨웠어.

ANNA Okay, that's ❺----------- I thought you were going to say. Wait, the enchanted forest? ❻----------- Father warned us about? 어, 그건 확실히 내가 생각했던 언니의 입에서 나올 말이 아닌데. 가만, 마법의 숲이라고? 아버지가 우리에게 경고했던 그 숲?

ELSA Yes. 맞아.

ANNA ❼-----------? 그런 짓을 대체 왜 한 거야?

ELSA Because of the voice. ❽-----------, but I believe whoever is calling me, is good. 목소리 때문이었어. 정신 나간 소리처럼 들린다는 건 나도 알지만, 누가 나를 부르는지는 몰라도 그 존재가 선한 존재라는 걸 난 믿어.

ANNA How can you say that? ❾-----------!
어떻게 그렇게 말할 수 있지? 우리의 왕국을 보라고!

ELSA I know. ❿----------- my magic can feel it. I can feel it. 나도 알아. 단지 나의 마법이 그것을 느끼기 때문에 그래. 내가 느낄 수 있다고.

B | 다음 빈칸을 채워 문장을 완성해 보세요.

1 그냥 이런 기분을 느끼게 만든 사람이 없어서 그래.
----------- no one makes me feel this way.

2 그냥 난 별로 그들에게 관심이 없어서 그럴 뿐이야.
----------- I don't really care for them.

3 단지 당신이 너무 아름다워서 그럴 뿐이에요.
----------- you are so beautiful.

4 그냥 네가 너무 많이 변해서 그런 거야.
----------- you've changed so much.

5 그냥 튀고 싶지 않아서 그래요.
----------- I don't want to stand out.

Olaf, the King of Trivia

상식 퀴즈의 달인, 올라프

위험에 처한 아렌델을 구하기 위해서 엘사는 목소리를 찾아 진실을 알아내려고 해요. 트롤의 족장 패비 할아버지가 미래가 보이지 않는다며 과거에 대한 진실을 알아내야만^{the truth must be found} 문제가 풀린다고 조언합니다. 엘사는 마법의 숲으로 가서 목소리를 찾아내면 이 문제를 해결할 수 있을 거라 확신 합니다^{convinced}. 안나, 올라프, 크리스토프, 스벤과 함께 험난한 여정에^{rough journey} 오르네요. 여행이 다소 지루했던지^{boring} 올라프는 주저리주저리 수다를^{chatter} 떨며 상식을^{trivia} 뽐내고 있지만, 우리 친구들은 조용히 가고 싶어 하는 것 같네요.

Warm Up! 오늘 배울 표현   오늘 등장하는 표현들입니다. 어떤 표현이 들어가야 할지 생각해 보세요.

* Did you know men are ＿＿＿＿＿＿＿＿＿＿ be struck by lightning?
  남자가 여자보다 벼락에 맞을 확률이 여섯 배나 높다는 거 알아?

* Did you know we blink ＿＿＿＿＿＿＿?   우리가 하루에 4백만 번 눈을 깜박이는 거 알아?

* ＿＿＿＿＿＿＿＿.   확실히 사실이야.

* ＿＿＿＿＿＿＿ when we get home.   그것에 대해서는 집에 가면 좀 더 알아볼게.

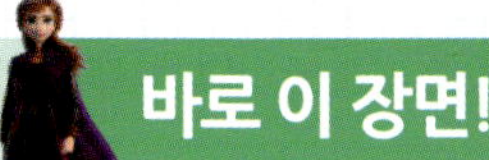

OLAF
올라프

Did you know that water has memory? True fact. It's disputed by many, but it's true.

물에게 기억이 있다는 거 알아? 진짜 사실이야. 많은 사람이 이의를 제기하지만, 그래도 사실이야.

OLAF
올라프

Did you know men are **six times more likely to** be struck by lightning?[1]

남자가 여자보다 벼락에 맞을 확률이 여섯 배나 높다는 거 알아?

OLAF
올라프

Did you know gorillas burp when they are happy?

고릴라는 기쁠 때 트림하는 거 알아?

OLAF
올라프

Did you know we blink **four million times a day**?[2]

우리가 하루에 4백만 번 눈을 깜박이는 거 알아?

OLAF
올라프

Did you know wombats poop squares?

웜뱃들은 똥이 정사각형인 거 알아?

KRISTOFF
크리스토프

Did you know sleeping quietly on long journeys prevents insanity?

긴 여행길에는 조용히 잠을 자야 정신이 이상해지는 걸 막을 수 있다는 거 알아?

OLAF
올라프

Yeah, that's not true.

응. 그건 사실이 아니야.

KRISTOFF, ELSA, ANNA
크리스토프, 엘사, 안나

It's true. **It's definitely true.**[3] It's the truth.

사실이야. 확실히 사실이야. 진리라고.

OLAF
올라프

Well, that was unanimous, but **I will look it up** when we get home.[4]

에구. 만장일치네. 그렇지만 그것에 대해서는 집에 가면 좀 더 알아볼게.

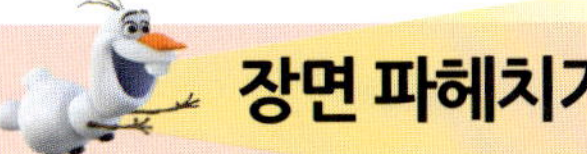

장면 파헤치기

구문 설명과 예문으로 이 장면의 핵심 표현을 완벽히 이해하세요.

❶ Did you know men are six times more likely to be struck by lightning?
남자가 여자보다 벼락에 맞을 확률이 여섯 배나 높다는 거 알아?

〈숫자 + times more likely to + 동사〉는 '~할 확률/가능성이 ~배가 높다'는 뜻으로 쓰는 표현이에요. 이 표현에 들어가는 단어 중에서 likely는 '~할 공산이 있는, ~할 것 같은, ~할 것으로 예상되는'이라는 뜻으로 쓰이는 형용사인데요, 이 단어와 위의 표현을 패턴 문장으로 더 자세히 살펴볼게요.

★ 영화 속 패턴 익히기

❷ Did you know we blink four million times a day? 우리가 하루에 4백만 번 눈을 깜박이는 거 알아?

1번에 나온 것처럼 '~ 배'라고 할 때 ~ times라는 표현을 쓰는데, 이것은 '~번'이라는 뜻으로도 쓸 수 있답니다. 그래서 '숫자 + times'라고 하고, 그 뒤에 '기간'을 넣으면 '~ (기간)에 ~번'이라는 뜻으로 쓸 수 있어요. 예를 들어, five times a month라고 하면 '한 달에 다섯 번' 이런 식으로 말이죠.

* **Sam calls me three times a day.** 샘은 내게 하루에 세 번씩 전화해.
* **How many times a week do you work out?** 일주일에 몇 번 운동하니?

❸ It's definitely true. 확실히 사실이야.

'확실히, 분명히, 완전히' 등과 같은 의미로 쓰이는 강조 부사는 completely, absolutely, totally 등 많은데요, 그중 발음하기 어려운 단어가 definitely가 아닐까 싶어요. 그래서, 보통 때는 '데피니틀리' 이렇게 음절마다 다 발음하기보다는 짧고 간단하게 'defn-ly' '데픈리' 라고 한답니다. 강세를 1음절 '데'에 강하게 찍어주면 아주 자연스럽게 들릴 거예요.

* **We definitely need a new library.** 우린 정말 새로운 도서관이 필요해요.
* **He's definitely not interested.** 그는 확실히 관심이 없어.

❹ I will look it up when we get home. 그것에 대해서는 집에 가면 좀 더 알아볼게.

어떤 정보, 물건 등을 '찾다, 수색하다, 찾아보다'라고 할 때는 주로 look for 또는 search라는 단어를 쓰는데, 범위를 더 좁혀서 인터넷이나 사전 같은 참고 자료를 뒤져보며 정보를 찾는 행위를 표현할 때는 look something up이라고 합니다.

* **Why don't you look it up in the dictionary?** 사전에서 찾아보지 그래?
* **Let me look it up online.** 인터넷에서 찾아볼게.

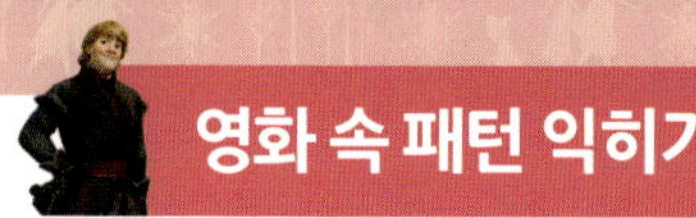

영화 속 패턴 익히기

오늘 배운 장면에서 뽑은 핵심 패턴으로 다양한 표현을 만들어 보세요.

🎧 11-2.mp3

숫자 + times more likely to ~

~할 가능성/확률이 ~배만큼 있다.

Step 1 기본 패턴 연습하기

1 Men are **three times more likely to** have heart disease than women.
남자들이 여자보다 심장병에 걸릴 확률이 3배 높다.

2 Women are **five times as likely to** use social media than men.
여자들이 남자보다 SNS를 사용하는 확률이 5배나 높다.

3 People who don't get enough sleep are **five times more likely to** catch a cold.
잠을 충분히 못 자는 사람들이 감기에 걸릴 확률이 5배 높다.

4 The friends are ________________________ in the car when it's sunny.
그 친구들은 맑은 날 차에서 노래 부를 확률이 4배나 있다.

5 They are ________________________ go to the beach. 그들은 해변에 갈 가능성이 5배나 있다.

Step 2 패턴 응용하기 | likely to ~

1 It's very **likely to** happen. 그 일이 일어날 가능성이 아주 높다.

2 It's not **likely to** rain today. 오늘은 비가 올 것 같지 않다.

3 If you keep doing that, you are **likely to** be fired. 너 계속 그렇게 하면, 해고될 가능성이 높아.

4 I'm ________________________ if you don't remind me. 네가 상기시켜주지 않으면 내가 잊을 가능성이 높아.

5 He's ________________________ next week. 그는 다음 주에 바쁠 확률이 높다.

Step 3 실생활에 적용하기

A Do you think you have a chance against Jack?	**A** 네가 잭을 상대로 이길 수 있을 것 같니?
B Of course. 내가 그 게임에서 이길 확률이 10배는 높아.	**B** 당연하지. I'm ten times more likely to win that game.
A I like your attitude!	**A** 네 태도가 마음에 든다!

정답 **Step 1 4** four times more likely to sing **5** five times more likely to **Step 2 4** likely to forget **5** likely to be busy

확인학습

문제를 풀며 오늘 배운 표현을 완벽히 내 것으로 만드세요.

A | 영화 속 대화를 완성해 보세요.

OLAF Did you know that water has memory? True fact. It's
❶ ________________ many, but it's true. 물에게 기억이 있다는 거 알아?
진짜 사실이야. 많은 사람이 이의를 제기하지만, 그래도 사실이야.

OLAF Did you know men are ❷ ________________
be struck by lightning? 남자가 여자보다 벼락에 맞을 확률이 여섯 배나 높다는 거
알아?

OLAF Did you know gorillas burp when ❸ ________________?
고릴라는 기쁠 때 트림하는 거 알아?

OLAF Did you know we blink ❹ ________________?
우리가 하루에 4백만 번 눈을 깜박이는 거 알아?

OLAF ❺ ________________ wombats poop squares?
웜뱃들은 똥이 정사각형인 거 알아?

KRISTOFF Did you know ❻ ________________ on long journeys
prevents insanity? 긴 여행길에는 조용히 잠을 자야 정신이 이상해지는 걸 막을 수 있다는 거 알아?

OLAF Yeah, that's not true. 응, 그건 사실이 아니야.

KRISTOFF, ELSA, ANNA It's true. ❼ ________________. It's
❽ ________________. 사실이야. 확실히 사실이야. 진리라고.

OLAF Well, that was ❾ ________________, but ❿ ________________
________________ when we get home.
에구, 만장일치네. 그렇지만 그것에 대해서는 집에 가면 좀 더 알아볼게.

정답 A

❶ disputed by
❷ six times more likely to
❸ they are happy
❹ four million times a day
❺ Did you know
❻ sleeping quietly
❼ It's definitely true
❽ the truth
❾ unanimous
❿ I will look it up

B | 다음 빈칸을 채워 문장을 완성해 보세요.

1 잠을 충분히 못 자는 사람들이 감기에 걸릴 확률이 5배 높다.
People who don't get enough sleep are ________________
catch a cold.

2 그들은 해변에 갈 가능성이 5배나 있다.
They are ________________ go to the beach.

3 오늘은 비가 올 것 같지 않다.
It's not ________________ rain today.

4 네가 상기시켜주지 않으면 내가 잊을 가능성이 높아.
I'm ________________ if you don't remind me.

5 그는 다음 주에 바쁠 확률이 높다.
He's ________________ next week.

정답 B

1 five times more likely to
2 five times more likely to
3 likely to
4 likely to forget
5 likely to be busy

Crazy or Naive?

정신이 나간 건가 아니면 순진한 건가?

마법의 숲으로 향해 가는 길에 올라프와 엘사가 잠든 동안 안나와 크리스토프는 데이트 분위기를 즐기고 있네요.^{enjoying romantic atmosphere}. 크리스토프가 안나에게 청혼하기 전에 분위기를 띄우려고 안나에게 옛날이야기를 꺼냅니다. 그런데, 크리스토프가 의도한 것과는 다르게^{not as intended} 자꾸 대화가 이상한 방향으로 흘러가고 있어요. 좋은 의도로^{with good intentions} 한 얘기를 안나가 눈치가 없는지 언짢게 받아들이고^{get offended} 그걸 수습할수록^{fix} 악화되는 분위기네요. 다행히 그때 엘사의 귀에 그 목소리가 들려와서 상황이 종료됩니다.

Warm Up! 오늘 배울 표현

오늘 등장하는 표현들입니다. 어떤 표현이 들어가야 할지 생각해 보세요.

* Just ____________. 그냥 너무 순진한 거지.

* Just ____________. 그냥 사랑이 처음이라 서툰 거지.

* When you're new, ____________ get it wrong. 처음에는 누구나 다 실수하게 마련이고.

* ____________ I'm wrong for you? 그러니까 네 말은 너에게 나는 안 맞는다는 거니?

KRISTOFF
크리스토프

Anna. Ahem, Anna, remember our first trip like this, when I said you'd have to be crazy to want to marry a man you just met?

안나. 에헴, 안나, 예전에 우리가 지금처럼 처음으로 여행했던 거 기억나니, 그때 내가 너한테 방금 만난 사람과 결혼하고 싶어 하다니 미친 거 아니냐고 말했었잖아?

ANNA
안나

Wait, what? Crazy? You didn't say I was crazy. You think I'm crazy?

잠깐, 뭐라고? 미쳤다고? 미쳤다고는 안 그랬잖아. 넌 내가 미친 거 같니?

KRISTOFF
크리스토프

No. I did. You were. Not crazy. Clearly. Just **naive**.❶

아니. 그렇게 말했지. 네가 미쳤었잖아. 미친 건 아니고. 분명히. 그냥 너무 순진한 거지.

KRISTOFF
크리스토프

Not naive. Just **new to love**.❷ Like I was. And when you're new, **you're bound to** get it wrong.❸

순진한 게 아니라. 그냥 사랑이 처음이라 서툰 거지. 내가 그랬던 것처럼. 그리고 처음에는 누구나 다 실수하게 마련이고.

ANNA
안나

So you're saying I'm wrong for you?❹

그러니까 네 말은 너에게 나는 안 맞는다는 거니?

KRISTOFF
크리스토프

What? No. No, no, I'm not saying you're wrong or crazy, I'm saying that it's—

뭐라고? 아니. 아니. 아냐. 네가 실수라거나 미쳤다거나 그런 말이 아니라. 내 말은 그러니까—

ELSA
엘사

Kristoff, stop.

크리스토프, 멈춰요.

KRISTOFF
크리스토프

Good idea.

좋은 생각이에요.

❶ Just naive. 그냥 너무 순진한 거지.

naive는 '순진한, 순진해 빠진, 경험이 없는'이라는 뜻이에요. 우리말로는 '순진하다'는 말이 세상의 때가 묻지 않아 '순수하다'는 뜻으로 쓰이는 경우도 있지만, naive는 '세상 물정을 모르고 순진해 빠진'과 같은 어감으로 거의 부정적인 의미로만 쓰여요. 발음에 유의하셔야 하는데, 강세가 중간에 있으니 '나 이 브'에서 '이'를 길게 강하게 발음해야만 해요.

* You are so **naive**. 너 진짜 순진하구나.
* You are too **naive** to understand politics. 넌 너무 순진해서 정치를 이해 못 할 거야.

❷ Just new to love. 그냥 사랑이 처음이라 서툰 거지.

무엇인가를 처음으로 경험하거나, 직장이나 이사간 곳 등의 처음이라 낯선 환경 속에 있을 때는 뭐든 어색하고 서툴고 그렇잖아요? 그럴 때 쓰는 표현이 new to ~예요.

* It's all **new to** me. 이건 나한테 완전히 새로운 일이야.
* She's **new to** this city. 그녀에겐 이 도시가 아직 낯설어.

❸ When you're new, you're bound to get it wrong. 처음에는 누구나 다 실수하게 마련이고.

〈be동사 + bound to ~〉는 '~하게 마련이다, 반드시 ~하다'라는 의미의 숙어인데, 어떤 상황이나 조건하에서는 '(누구나 다) 그러게 마련이다, 그럴 수밖에 없다'는 뜻으로 이해하면 좋겠네요. 패턴 문장으로 연습할 때는 주어를 바꿔가면서 활용하는 문장도 만들어 볼게요.　★영화 속 패턴 익히기

❹ So you're saying I'm wrong for you? 그러니까 네 말은 너에게 나는 안 맞는다는 거니?

상대방이 한 말에 대해서 놀라며, 또는 의아해하며, 또는 따지듯이 되물을 때 쓰는 표현이 Are you saying ~ '~라는/하다는 말이니?'예요. 그 앞에 So를 붙여서 '그래서 ~라는/하다는 말이니?' 이렇게 쓰는 경우도 많아요.

* **You're saying** you've never done this before? 이걸 한 번도 안 해 봤다는 말이니?
* **So you're saying** I have a chance? 네 말은 내게도 기회가 있다는 얘기야?

 오늘 배운 장면에서 뽑은 핵심 패턴으로 다양한 표현을 만들어 보세요.

🎧 12-2.mp3

You are bound to ~

너는 ~하게 마련이다/~할 수밖에 없다.

Step 1 기본 패턴 연습하기

1 **You are bound to** like it. 넌 이걸 좋아할 수밖에 없어.

2 **You are bound to** look beautiful in this dress. 이 드레스를 입으면 아름다워 보일 수밖에 없어요.

3 **You are bound to** be tired after going through the surgery. 수술을 받고 나면 피곤하게 마련이다.

4 If you try your hardest, _________________________ successful. 최선을 다하면 성공하게 마련이야.

5 If you only focus on winning, _________________________.
이기는 것에만 집중하면 지게 마련이야.

Step 2 패턴 응용하기 | 주어 + be동사 + bound to ~

1 **That is bound to** happen. 그 일은 일어날 수밖에 없어.

2 **They are bound to** fail. 그들은 실패할 수밖에 없어.

3 **We are bound to** make mistakes. 우리는 모두 실수하게 마련이다.

4 _________________________ happy. 난 행복할 수밖에 없어.

5 _________________________ a little surprised. 그녀가 조금 놀랄 수밖에 없지.

Step 3 실생활에 적용하기

A Do you think my boys would like it?

B Whether you are a boy or a girl, 이걸 좋아할 수밖에 없어요.

A It's that good, huh?

A 우리 아들들이 이걸 좋아할까요?

B 남자아이이건 여자아이이건, they are bound to like it.

A 그렇게 좋은 거로군요, 그죠?

정답　Step 1 **4** you are bound to be **5** you are bound to lose　Step 2 **4** I'm bound to be **5** She's bound to be

문제를 풀며 오늘 배운 표현을 완벽히 내 것으로 만드세요.

A | 영화 속 대화를 완성해 보세요.

KRISTOFF Anna. Ahem, Anna, remember our ❶__________________, when I said you'd have to be crazy to ❷________________________ you just met?

안나. 에헴, 안나, 예전에 우리가 지금처럼 처음으로 여행했던 거 기억나니, 그때 내가 너한테 방금 만난 사람과 결혼하고 싶어 하다니 미친 거 아니냐고 말했었잖아?

ANNA Wait, what? Crazy? ❸________________________________. You think ❹____________________?

잠깐, 뭐라고? 미쳤다고? 미쳤다고는 안 그랬잖아. 넌 내가 미친 거 같니?

KRISTOFF No. I did. You were. Not crazy. Clearly. Just ❺________________________________. 아니. 그렇게 말했지. 네가 미쳤었잖아. 미친 건 아니고. 분명히. 그냥 너무 순진한 거지.

KRISTOFF Not naive. Just ❻____________________. Like I was. And when you're new, ❼____________________ get it wrong.

순진한 게 아니라. 그냥 사랑이 처음이라 서툰 거지. 내가 그랬던 것처럼. 그리고 처음에는 누구나 다 실수하게 마련이고.

ANNA ❽____________________ I'm wrong for you?

그러니까 네 말은 너에게 나는 안 맞는다는 거니?

KRISTOFF What? No. No, no, I'm not saying you're ❾________________________________, I'm saying that it's—

뭐라고? 아니. 아니. 아냐. 네가 실수라거나 미쳤다거나 그런 말이 아니라, 내 말은 그러니까—

ELSA Kristoff, stop. 크리스토프, 멈춰요.

KRISTOFF ❿____________________. 좋은 생각이에요.

B | 다음 빈칸을 채워 문장을 완성해 보세요.

1 수술을 받고 나면 피곤하게 마련이다.

____________________ be tired after going through the surgery.

2 최선을 다하면 성공하게 마련이야.

If you try your hardest, ____________________ successful.

3 이기는 것에만 집중하면 지게 마련이야.

If you only focus on winning, ____________________.

4 난 행복할 수밖에 없어.

____________________ happy.

5 그녀가 조금 놀랄 수밖에 없지.

____________________ a little surprised.

Stumbling Kristoff

버벅거리는 크리스토프

지난번에는 마차 위에서 청혼하려다 결국 분위기만 이상해지고 버벅대며^{stumble} 끝났는데, 오늘에야말로 제대로 해내리라 마음 먹고^{determined} 크리스토퍼는 다시 안나와 대화를 시도합니다. 그런데, 첫 문장부터 꼬여버렸네요^{get off on the wrong foot}. 크리스토프의 '지금과 다른 상황이었더라면' 한마디에 안나가 그의 말을 오해합니다^{she misunderstands him}. 안나의 마음이 꼬여서^{twisted} 이상하게 받아들이는 건지, 아니면 크리스토프가 정말 말을 이상하게 하는 건지 알 수가 없네요. 결국, 대화는 극단으로 흘러 죽기 전에 마법의 숲에서 못 나갈 거라는 악담처럼 마무리가 돼 버렸어요.

Warm Up! 오늘 배울 표현   오늘 등장하는 표현들입니다. 어떤 표현이 들어가야 할지 생각해 보세요.

* You know, ________________________, this would be a pretty romantic place.
  있잖아, 아마 상황이 좀 달랐더라면, 여기가 꽤 낭만적인 장소였을 것 같아.

* ________________ we don't make it out of here—   우리가 혹시라도 여기에서 못 나가게 될 경우를 대비해서—

* ________________ the odds are kinda complicated.   뭐, 엄밀히 말하면 그럴 가능성이 좀 복잡하긴 한데.

* But ____________, in case we die—   하지만 내가 말하고 싶은 건, 우리가 혹시라도 죽게 되면—

KRISTOFF
크리스토프

You know, **under different circumstances**, this would be a pretty romantic place. ❶ Don't you think?

있잖아, 아마 상황이 좀 달랐더라면, 여기가 꽤 낭만적인 장소였을 것 같아. 안 그러니?

ANNA
안나

Different circumstances? You mean like with someone else?

상황이 달랐다면? 그러니까 다른 사람이랑 함께 있는 상황 말이야?

KRISTOFF
크리스토프

What? No, no.

뭐? 아냐, 아냐.

KRISTOFF
크리스토프

I'm saying–

내 말은–

KRISTOFF
크리스토프

Just in case we don't make it out of here— ❷

우리가 혹시라도 여기에서 못 나가게 될 경우를 대비해서—

ANNA
안나

Wait, what? You don't think we're going to make it out of here?

잠깐, 뭐라고? 넌 우리가 여기에서 못 나갈 거라고 생각하니?

KRISTOFF
크리스토프

No, no. I mean, we will make it out of here. **Well, technically** the odds are kinda complicated. ❸ But **my point is**, in case we die— ❹

아니, 아니. 내 말은, 우리가 여기에서 무사히 나갈 거야. 뭐, 엄밀히 말하면 그럴 가능성이 좀 복잡하긴 한데. 하지만 내가 말하고 싶은 건, 우리가 혹시라도 죽게 되면—

ANNA
안나

You think we are going to die?

넌 우리가 죽을 거라고 생각하니?

KRISTOFF
크리스토프

No! No, no, no, we will die at some point, but not at any recent time will we die.

아냐! 아니, 아니, 아니, 우리가 언젠가는 죽겠지만, 당장 죽지는 않을 거야.

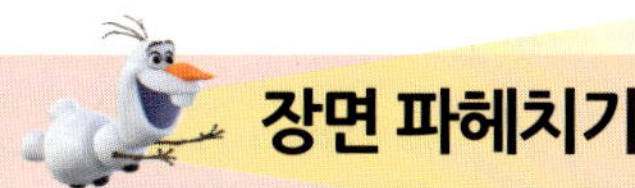

장면 파헤치기
구문 설명과 예문으로 이 장면의 핵심 표현을 완벽히 이해하세요.

❶ You know, under different circumstances, this would be a pretty romantic place.
있잖아, 아마 상황이 좀 달랐더라면, 여기가 꽤 낭만적인 장소였을 것 같아.

지금과 상황이 달랐더라면 아마도 조금은 다른 결과가 나왔을 거라며 아쉬운 듯 말할 때 자주 쓰는 표현이 under different circumstances예요. '상황이 좀 달랐더라면, 지금과 다른 상황이었다면'이라고 해석하면 좋겠네요. circumstances에 끝에 붙은 s는 잊지 말고 붙여주세요.

* **Under different circumstances**, we would accept the offer.
  상황이 달랐더라면, 우리는 그 제안을 받아들였을 거야.
* I wish we had met **under different circumstances**. 우리가 지금과는 조금 다른 상황에서 만났으면 좋았을 텐데.

❷ Just in case we don't make it out of here— 우리가 혹시라도 여기에서 못 나가게 될 경우를 대비해서—

just in case는 '만약을 위해서, 혹시라도 ~할 경우를 대비해서'라는 의미로 쓰이는 숙어예요. 뒤에 아무 내용도 붙이지 않고 just in case '혹시 모르니까'라는 의미로 하나의 표현으로 쓸 수도 있고, 뒤에 내용을 붙여서 '혹시라도 ~한 경우를 대비해서'라는 뜻으로 쓸 수도 있답니다. 앞에 있는 Just를 빼고 in case만 쓸 수도 있는데, 이것은 '~한 경우에'라는 의미예요.

❸ Well, technically the odds are kinda complicated. 뭐, 엄밀히 말하면 그럴 가능성이 좀 복잡하긴 한데.

technically는 단어에 technic이 들어가기 때문에 이 단어를 잘 모르는 사람들은 '기술적으로'라고 해석하는 경우가 많은데, 물론 이 단어에는 '기술적으로'라는 정의도 있지만, 주로 구어체에서 이 단어가 쓰일 때는 '엄밀히 따지면/말하면'이라는 의미로 쓰인답니다.

* **Technically**, they are not divorced yet. 엄밀히 말하면, 그들은 아직 이혼한 게 아니야.
* **Technically**, you stared it. 엄밀히 말하면, 시비를 먼저 건 사람은 너야.

❹ But my point is, in case we die— 하지만 내가 말하고 싶은 건, 우리가 혹시라도 죽게 되면—

point는 '의견, 주장, 요점'이라는 뜻으로 쓰이는 명사인데, 구어체에서 My point is, 또는 The point is, 라고 말하며 문장을 시작하면 그것은 '내가 하고 싶은 말은, 내 요점은'이라는 뜻으로 해석하면 좋답니다.

* **My point is** not that different from yours. 내 주장도 당신의 주장과 별반 다르지 않습니다.
* **My point is**, you should read this book. 내가 말하고 싶은 건, 당신은 그 책을 읽어봐야 한다는 거예요.

🎧 13-2.mp3

Just in case ~　　혹시라도 ~할 경우에 대비해서

Step 1　기본 패턴 연습하기

1 **Just in case**, make a copy of this. 혹시 어떻게 될지 모르니, 복사본을 하나 만들어 두세요.

2 **Just in case I forget**, please remind me again. 혹시라도 내가 잊으면, 다시 상기시켜 주세요.

3 **Just in case she doesn't make it here**, we need a plan B.
그녀가 못 오게 될 경우에 대비해서, 플랜 B가 필요해요.

4 _______________________________, you are amazing!
혹시라도 네게 말해준 사람이 없을까 봐 하는 말인데, 넌 정말 멋져!

5 _______________________________, let's save some money.
혹시라도 우리 둘 다 직장을 잃게 될 때를 대비해서, 돈을 좀 모아둡시다.

Step 2　패턴 응용하기 | In case ~

1 **In case it rains**, let's bring umbrellas. 비가 오면, 우산을 챙겨 가자.

2 I have feelings for you, **in case you didn't know**. 난 널 좋아해, 네가 몰랐을까 봐 하는 얘기야.

3 **In case you forgot**, I'm the boss here. 네가 잊고 있는 것 같아서 하는 얘긴데, 여기서 대장은 나야.

4 _______________________, please call this number. 비상 상황이 벌어지면, 이 번호로 전화 걸어 주세요.

5 _______________________, start without me. 내가 늦을 경우엔, 나 없이 시작하세요.

Step 3　실생활에 적용하기

A Why are you telling me this?

B 오늘 밤에 내가 혹시라도 집에 못 돌아오게 될 경우에 대비해서 그런 거예요.

A Don't worry. You will.

A 왜 이런 얘길 하는 거죠?

B Just in case I don't make it home tonight.

A 걱정 말아요. 당신은 돌아 올거예요.

정답　Step 1 4 Just in case no one told you　5 Just in case we both lose our jobs　Step 2 4 In case of emergency　5 In case I'm late

문제를 풀며 오늘 배운 표현을 완벽히 내 것으로 만드세요.

A | 영화 속 대화를 완성해 보세요.

KRISTOFF You know, ❶ ______________________________, this would be a ❷ ______________________. Don't you think?
있잖아, 아마 상황이 좀 달랐더라면, 여기가 꽤 낭만적인 장소였을 것 같아. 안 그러니?

ANNA Different circumstances? You mean like with ❸ ______________ ______________? 상황이 달랐다면? 그러니까 다른 사람이랑 함께 있는 상황 말이야?

KRISTOFF What? No, no. 뭐? 아냐, 아냐.

KRISTOFF I'm ❹ ______________– 내 말은–

KRISTOFF ❺ ______________ we don't ❻ ______________— 우리가 혹시라도 여기에서 못 나가게 될 경우를 대비해서—

ANNA Wait, what? You don't think we're going to make it out of here? 잠깐, 뭐라고? 넌 우리가 여기에서 못 나갈 거라고 생각하니?

KRISTOFF No, no. I mean, we will make it out of here. ❼ ______________ the odds are kinda complicated. But ❽ ______________, in case we die—
아니, 아니. 내 말은, 우리가 여기에서 무사히 나갈 거야. 뭐, 엄밀히 말하면 그럴 가능성이 좀 복잡하긴 한데. 하지만 내가 말하고 싶은 건, 우리가 혹시라도 죽게 되면—

ANNA You think we are ❾ ______________? 넌 우리가 죽을 거라고 생각하니?

KRISTOFF No! No, no, no, we will die ❿ ______________, but not at any recent time will we die.
아냐! 아니, 아니, 아니, 우리가 언젠가는 죽겠지만, 당장 죽지는 않을 거야.

정답 A

❶ under different circumstances
❷ pretty romantic place
❸ someone else
❹ saying
❺ Just in case
❻ make it out of here
❼ Well, technically
❽ my point is
❾ going to die
❿ at some point

B | 다음 빈칸을 채워 문장을 완성해 보세요.

1 혹시 어떻게 될지 모르니, 복사본을 하나 만들어 두세요.
______________, make a copy of this.

2 혹시라도 내가 잊으면, 다시 상기시켜 주세요.
______________, please remind me again.

3 혹시라도 우리 둘 다 직장을 잃게 될 때를 대비해서, 돈을 좀 모아둡시다.
______________, let's save some money.

4 비상 상황이 벌어지면, 이 번호로 전화 걸어 주세요.
______________, please call this number.

5 내가 늦을 경우엔, 나 없이 시작하세요.
______________, start without me.

정답 B

1 Just in case
2 Just in case I forget
3 Just in case we both lose our jobs
4 In case of emergency
5 In case I'm late

When I Am Older

나도 나이가 들면

마법의 숲에서 신비하면서도 기이하고^{odd} 무서운^{scary} 일들을 겪은 올라프가 노래합니다. When I Am Older '나도 어른이 되면 (지금보다 더 나이가 들면)'. 이 모든 괴이한 일들이 지금은 비록 이해도 안 되고 믿기지도 않아 힘들지만^{having a hard time} 나이가 들어 어른이 되면 다 별것 아닌 일로^{trivial matters} 받아들이고 이해할 수 있을 거라며 자신의 마음을 다스리고 있어요^{keep his composure}. 가사를 들여다보면 우리 인생에 대한 깊은 철학이 담겨 있답니다.

Warm Up! 오늘 배울 표현

오늘 등장하는 표현들입니다. 어떤 표현이 들어가야 할지 생각해 보세요.

* THIS WILL ALL ____________ WHEN I AM OLDER. 나도 나이가 들면 이 모든 것이 다 이해될 거야.

* I'LL ____________ AND REALIZE. 오늘을 되돌아보면서 깨달을 거야.

* THAT THESE WERE ALL COMPLETELY NORMAL ____________.
이것들이 모두 다 완전히 평범한 일들이라는 것을.

* THESE WILL ____________ CHILDISH FEARS. 이런 것들이 유치한 두려움처럼 보일 거라는 걸.

OLAF
올라프

THIS WILL ALL **MAKE SENSE** WHEN I AM OLDER[1]
SOMEDAY I WILL SEE THAT THIS MAKES SENSE
ONE DAY WHEN I'M OLD AND WISE
I'LL **THINK BACK** AND REALIZE[2]
THAT THESE WERE ALL COMPLETELY NORMAL **EVENTS**[3]

나도 나이가 들면 이 모든 것이 다 이해될 거야
언젠가는 이것도 말이 된다는 걸 알게 되겠지
언젠가 내가 나이가 들고 지혜로워지면
오늘을 되돌아보면서 깨달을 거야
이것들이 모두 다 완전히 평범한 일들이라는 것을

OLAF
올라프

I'LL HAVE ALL THE ANSWERS WHEN I'M OLDER
LIKE, WHY WE'RE IN THIS DARK ENCHANTED WOOD

나도 나이가 들면 모든 것에 대한 답을 알게 될 거야
왜 우리가 이런 사악한 마법의 숲에 있는 건지에 대해서도

OLAF
올라프

I KNOW IN A COUPLE YEARS
THESE WILL **SEEM LIKE** CHILDISH FEARS[4]
AND SO I KNOW THIS ISN'T BAD, IT'S GOOD

난 알아 몇 년 후면
이런 것들이 유치한 두려움처럼 보일 거라는 걸
그래서 이게 나쁜 게 아니란 걸 알아, 좋은 거야

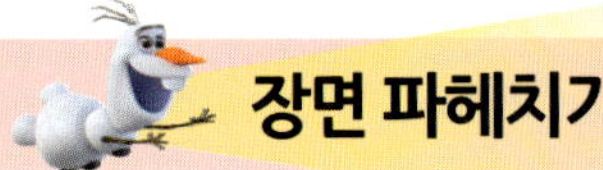

구문 설명과 예문으로 이 장면의 핵심 표현을 완벽히 이해하세요.

❶ THIS WILL ALL MAKE SENSE WHEN I AM OLDER. 나도 나이가 들면 이 모든 것이 다 이해될 거야.

make sense는 '의미가 통하다, 말이 되다, 이해되다'라는 의미예요. 어떤 상황에 대해서 말할 때 '말이 안 된다, 이해가 안 된다'라고 할 때는 doesn't make sense라고 하고, '이치에 맞다, (왜 그런 건지) 이해가 된다'라고 할 때는 make sense라고 한답니다.

* It doesn't **make sense** at all. 전혀 이해가 안 된다.
* That **makes sense** to me. 그거 말 되네.

❷ I'LL THINK BACK AND REALIZE. 오늘을 되돌아보면서 깨달을 거야.

예전에 대해서 되돌아보는 것, 즉 회상하는 것을 영어로 reminisce라고 하는데, 보통 구어체에서는 think back을 더 많이 쓴답니다. think back 뒤에 따라오는 전치사가 to인 것을 잘 기억해 주세요.

* I was **thinking back** to my college days. 대학 시절을 회상하고 있었어.
* Do you ever **think back** to your childhood? 넌 유년 시절을 되돌아볼 때가 있니?

❸ THAT THESE WERE ALL COMPLETELY NORMAL EVENTS. 이것들이 모두 다 완전히 평범한 일들이라는 것을.

우리나라 사람들은 일반적으로 event라고 하면 어떤 특별한 '행사'를 생각하죠? 그런데, 실제 영어로 event는 '행사'의 의미도 있지만, 주로 어떤 '사건, 일' 등을 표현할 때 쓰는 경우가 많아요. 꼭 특별한 일이 아니더라도 일상적으로 벌어지는 일들에 대해서 말할 때도 쓰인답니다.

* In the **event** of rain, the game will be held indoors. 비가 올 경우에는 시합이 실내에서 개최될 것입니다.
* We've had a lot of **events** this month. 이번 달엔 많은 일들이 있었어.

❹ THESE WILL SEEM LIKE CHILDISH FEARS. 이런 것들이 유치한 두려움처럼 보일 거라는 걸.

seem like는 '~처럼(로) 보이다/여겨지다/느껴지다', '~인 것 같다'라는 뜻이에요. look like와 혼동하는 경우가 많은데, look like는 지금 눈앞에 외관상으로 보이는 것에 대해서만 '~처럼 보인다'라고 말할 때 쓰고, seem like는 말하고 있는 대상에 대해서 꼭 눈으로 보고 있지 않더라도 자기 생각이나 의견을 말하면서 '(어떤 상황으로) 보인다, ~인 것 같다' 등의 뜻으로 쓰는 표현이에요.

🎧 14-2.mp3

It seems like ~

~처럼 보인다/~로 여겨진다/~같은 느낌이다.

Step 1　기본 패턴 연습하기

1　**It seems like** only yesterday. 그게 바로 어제 같은 느낌이다.

2　**It seems like** it was years ago. 몇 년은 지난 것 같은 느낌이야.

3　**It seems like** we have a lot of opportunities here. 우리는 여기서 많은 기회가 생길 것으로 보인다.

4　............................ you don't like cheese. 넌 치즈를 안 좋아하는 것 같네.

5　............................ he's hiding something. 그가 뭔가를 감추고 있는 것 같아.

Step 2　패턴 응용하기　| It seems that ~

1　**It seems that** he is never home. 그는 집에 아예 안 들어오는 것 같아 보여.

2　**It seems that** something went wrong. 뭔가 잘못된 것 같아 보인다.

3　**It seems that** she is disappointed in you. 그녀가 너에게 실망한 것 같아 보이네.

4　............................ likes her. 모두가 다 그녀를 좋아하는 것 같네.

5　............................ the secret. 그가 비밀을 알고 있는 것 같아.

Step 3　실생활에 적용하기

A　I'm going to take off.	A　난 갈게.
B　넌 여기 있는 게 싫은 것 같구나.	B　It seems like you don't like being here.
A　No, it's just that I'm a little tired.	A　아냐. 그냥 좀 피곤해서 그래.

정답　Step 1　4 It seems like　5 It seems like　Step 2　4 It seems that everybody　5 It seems that he knows

확인학습

문제를 풀며 오늘 배운 표현을 완벽히 내 것으로 만드세요.

A | 영화 속 대화를 완성해 보세요.

OLAF   THIS WILL ALL ❶_________________ WHEN I AM ❷_________________. SOMEDAY I WILL SEE THAT THIS MAKES SENSE. ONE DAY WHEN I'M ❸_________________, I'LL ❹_________________ AND REALIZE. THAT THESE WERE ALL ❺_________________ NORMAL ❻_________________.

나도 나이가 들면 이 모든 것이 다 이해될 거야. 언젠가는 이것도 말이 된다는 걸 알게 되겠지. 언젠가 내가 나이가 들고 지혜로워지면, 오늘을 되돌아보면서 깨달을 거야. 이것들이 모두 다 완전히 평범한 일들이라는 것을.

OLAF   I'LL HAVE ❼_________________ WHEN I'M OLDER. LIKE, WHY WE'RE ❽_________________ ENCHANTED WOOD. 나도 나이가 들면 모든 것에 대한 답을 알게 될 거야. 왜 우리가 이런 사악한 마법의 숲에 있는 건지에 대해서도.

OLAF   I KNOW IN A ❾_________________ THESE WILL ❿_________________ CHILDISH FEARS, AND SO I KNOW THIS ISN'T BAD, IT'S GOOD. 난 알아 몇 년 후면 이런 것들이 유치한 두려움처럼 보일 거라는 걸. 그래서 이게 나쁜 게 아니란 걸 알아, 좋은 거야.

정답 A

❶ MAKE SENSE
❷ OLDER
❸ OLD AND WISE
❹ THINK BACK
❺ COMPLETELY
❻ EVENTS
❼ ALL THE ANSWERS
❽ IN THIS DARK
❾ COUPLE YEARS
❿ SEEM LIKE

B | 다음 빈칸을 채워 문장을 완성해 보세요.

1 몇 년은 지난 것 같은 느낌이야.

_________________ it was years ago.

2 넌 치즈를 안 좋아하는 것 같네.

_________________ you don't like cheese.

3 그가 뭔가를 감추고 있는 것 같아.

_________________ he's hiding something.

4 모두가 다 그녀를 좋아하는 것 같네.

_________________ likes her.

5 그가 비밀을 알고 있는 것 같아.

_________________ the secret.

정답 B

1 It seems like
2 It seems like
3 It seems like
4 It seems that everybody
5 It seems that he knows

Water Has Memory

물에는 기억이 있다

마법의 숲에서 바람의 정령에게 붙잡힌 엘사 무리는 소용돌이[vortex] 속에 휘말려[caught in] 올라 가네요. 야단법석 속에서[chaos] 엘사가 마법으로 바람의 정령을 향해 반격합니다[counterattack]. 얼음과 소용돌이가 계속 엉키고[entangled] 그 안에서 과거의 이미지들과 목소리가 뒤섞여[mixed up] 나타납니다. 그리고, 과거를 보여주는 얼음 조각상들이[ice sculptures] 만들어져 그들 앞에 놓였어요. 그중에는 아버지의 어린 모습과 노덜드라 소녀도 함께 있네요. 올라프의 말처럼 물은 기억을 가지고 있다는 것이 사실이 아닐까요?

Warm Up! 오늘 배울 표현

오늘 등장하는 표현들입니다. 어떤 표현이 들어가야 할지 생각해 보세요.

* ⬚⬚⬚⬚⬚⬚⬚⬚⬚⬚⬚⬚⬚, Olaf? 네가 말했던 그거 뭐였더라, 올라프?

* ⬚⬚⬚⬚⬚⬚⬚⬚ advancing technologies as both our savior and our doom?
기술의 발전이 우리를 구원할 수도 있지만 동시에 우리를 파멸로 이끌 수도 있다고 한 내 학설 말하는 거니?

* ⬚⬚⬚⬚⬚⬚. 그거 말고.

* The water that makes up you and me ⬚⬚⬚⬚⬚⬚⬚⬚⬚⬚ at least four humans and/or animals before us. 너와 나를 형성해 주는 물이 우리 전에 최소한 네 명의 인간들 그리고/또는 동물들을 거쳐 갔다는 거야.

ANNA
안나

What's that thing you say, Olaf?❶
네가 말했던 그거 뭐였더라, 올라프?

OLAF
올라프

Oh! **My theory about** advancing technologies as both our savior and our doom?❷
오! 기술의 발전이 우리를 구원할 수도 있지만 동시에 우리를 파멸로 이끌 수도 있다고 한 내 학설 말하는 거니?

ANNA
안나

No, not the— **Not that one.**❸ The one about–
아니, 아닌데— 그거 말고, 그거 말이야–

OLAF
올라프

The one about cucumbers?
오이에 관한 그거?

ANNA
안나

No, the thing about water.
아니, 물에 관한 거 말이야.

OLAF
올라프

Oh, yeah. Water has memory.
아, 그거. 물에도 기억력이 있다는 거.

OLAF
올라프

The water that makes up you and me **has passed through** at least four humans and/or animals before us.❹
너와 나를 형성해 주는 물이 우리 전에 최소한 네 명의 인간들 그리고/또는 동물들을 거쳐 갔다는 거야.

OLAF
올라프

And remembers everything.
그리고 모든 것을 기억하지.

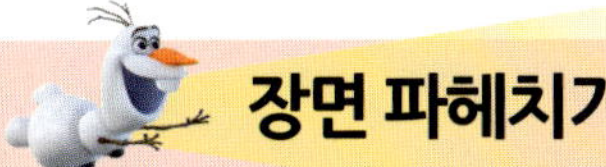

장면 파헤치기

구문 설명과 예문으로 이 장면의 핵심 표현을 완벽히 이해하세요.

❶ What's that thing you say, Olaf? 네가 말했던 그거 뭐였더라, 올라프?

'네가 말한 거 그거 뭐(였)더라', '네가 한 거 그거 뭐(였)더라' 등등 상대방이 전에 말했던 것에 대해서 나중에 다시 물을 때 '(그때 네가 말했던 거) 그게 뭐더라?'라는 뜻으로 말하는 경우에 〈What is/was that you + say/said/do/did?〉의 형식으로 표현해요.

* **What was that you said?** 뭐라고 그랬니?
* **What is that thing you do** when you are free? 여유시간에 네가 하는 게 뭐라고?

❷ My theory about advancing technologies as both our savior and our doom?
기술의 발전이 우리를 구원할 수도 있지만 동시에 우리를 파멸로 이끌 수도 있다고 한 내 학설 말하는 거니?

theory는 '이론, 학설'이라는 의미의 명사예요. 나의 주장을 장황하게 펼치고 싶을 때, 〈my theory about + 명사구〉 형식으로 말을 해요. '~에 대한 나의 이론은 말이지…' 하면서 시작하는 거죠.

* I have **my own theory about** that song. 그 노래에 대해서 내 나름의 이론이 있어.
* **My theory about** marriage is this. 결혼에 대한 내 이론은 이거야.

❸ Not that one. 그거 말고.

상대방이 무엇인가를 나에게 보여주면서 '(네가 원했던/말했던 게) 이거니?'라고 물어볼 때, '그거 아닌데/그거 말고'라고 대답할 때 쓰는 표현이에요. That's not the one I wanted. 또는 That's not the one I was talking about. 이렇게 길게 말하려면 귀찮으니 Not that one. 이렇게 짧게 말하는 거죠.

* A: Is this the one you asked for? 이게 네가 요청한 거니?
  B: **Not that one.** 그거 아닌데.

❹ The water that makes up you and me has passed through at least four humans and/or animals before us. 너와 나를 형성해 주는 물이 우리 전에 최소한 네 명의 인간들 그리고/또는 동물들을 거쳐 갔다는 거야.

pass through는 '(어떤 장소를) 거쳐/지나가다'라는 의미의 숙어예요. 오래 머물지 않고 잠깐 거쳐 가는 경우에 쓰는 표현이에요. 참고로, pass by라는 표현도 있는데, 그것은 '옆으로 지나가다, 지나치다', '(아무런 영향을 주지 않고) ~을 스쳐 지나가다'라는 의미예요. 위의 두 표현을 패턴 문장으로 함께 연습해 볼게요. ★ 영화 속 패턴 암기

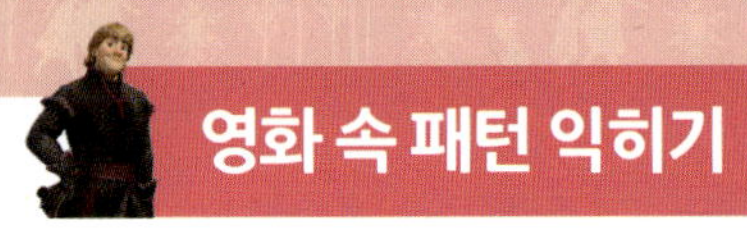

영화 속 패턴 익히기

오늘 배운 장면에서 뽑은 핵심 패턴으로 다양한 표현을 만들어 보세요.

🎧 15-2.mp3

pass through

(어떤 장소)를 거쳐/지나가다.

Step 1 기본 패턴 연습하기

1 I'm only **passing through** the city. 난 이 도시를 그냥 거쳐 가는 거야.

2 A cold wind **passed through** the room. 찬바람이 방을 훑고 갔다.

3 I'll stop by your office the next time I **pass through** town.
다음에 이 근처 지나갈 때는 네 사무실에 들를게.

4 I love _______________ the lush forest in this region. 이 지역의 울창한 삼림을 지나는 게 너무 좋다.

5 I _______________ the countryside. 난 시골을 거쳐 갔다.

Step 2 패턴 응용하기 | pass by

1 Gina waved as she **passed by**. 지나가 지나가면서 손을 흔들었다.

2 I'm just **passing by** to say hi. 그냥 지나가다가 인사하려고 들렀어.

3 Don't let those opportunities **pass you by**. 그 기회들이 너를 그냥 스쳐 지나가도록 하지 말아라.

4 It's not something he could _______________ and not notice.
그가 못 알아보고 그냥 지나칠 만한 것이 아니야.

5 Does it seem like good things in life are _______________?
인생에서 좋은 일들이 우리를 스쳐 지나가는 것 같지 않니?

Step 3 실생활에 적용하기

A 머무는 거예요, 아니면 그냥 거쳐 가는 거예요?

A Are you staying or just passing through?

B I haven't decided on that yet.

B 그건 아직 못 정했어요.

A I hope you stay.

A 당신이 머물다 가면 좋겠네요.

정답　Step 1　4 passing through　5 passed through　Step 2　4 pass by　5 passing us by

80

확인학습

문제를 풀며 오늘 배운 표현을 완벽히 내 것으로 만드세요.

A | 영화 속 대화를 완성해 보세요.

ANNA ❶ _______________________________, Olaf?
네가 말했던 그거 뭐였더라, 올라프?

OLAF Oh! ❷ _______________ advancing technologies as both our ❸ _______________? 오! 기술의 발전이 우리를 구원할 수도 있지만 동시에 우리를 파멸로 이끌 수도 있다고 한 내 학설 말하는 거니?

ANNA No, not the— ❹ _______________. The one about–
아니, 아닌데— 그거 말고. 그거 말이야–

OLAF The one about ❺ _______________? 오이에 관한 그거?

ANNA No, ❻ _______________. 아니, 물에 관한 거 말이야.

OLAF Oh, yeah. Water ❼ _______________.
아, 그거. 물에도 기억력이 있다는 거.

OLAF The water that ❽ _______________ you and me ❾ _______________ at least four humans and/or animals before us. 너와 나를 형성해 주는 물이 우리 전에 최소한 네 명의 인간들 그리고/또는 동물들을 거쳐 갔다는 거야.

OLAF And ❿ _______________. 그리고 모든 것을 기억하지.

B | 다음 빈칸을 채워 문장을 완성해 보세요.

1 난 이 도시를 그냥 거쳐 가는 거야.

I'm only _______________ the city.

2 이 지역의 울창한 삼림을 지나는 게 너무 좋다.

I love _______________ the lush forest in this region.

3 난 시골을 거쳐 갔다.

I _______________ the countryside.

4 그가 못 알아보고 그냥 지나칠 만한 것이 아니야.

It's not something he could _______________ and not notice.

5 인생에서 좋은 일들이 우리를 스쳐 지나가는 것 같지 않니?

Does it seem like good things in life are _______________?

May the Truth Be Found!

꼭 진실을 찾기를 바라며!

마법의 숲에서 과거의 이미지들과 조각상들을 보며 놀랐던 엘사와 그의 친구들. 그런데 이젠 진짜 살아있는 과거의 사람들과 맞닥뜨리게 되네요.^{come face to face} 그들은 수십 년 전^{decades ago} 숲에서 마법에 걸린 채 남은 사람들이에요. 그중 군인들의 지휘관이^{commanding officer} 안나의 눈에 익었는데^{looks familiar} 가만히 보니 궁전에 있는 사진에서 봤던 아버지의 경호원, 매티어스 중위입니다. 서로의 신원을^{identity} 밝힌 매티어스 중위와 엘사 무리, 그리고 거기엔 마법의 숲 원주민들인 노덜드라 인들도 있네요. 엘사가 과거의 진실을 알기 위해 왔다고 밝히고, 매티어스 중위가 꼭 진실을 찾기를 바란다며 그녀를 응원합니다.

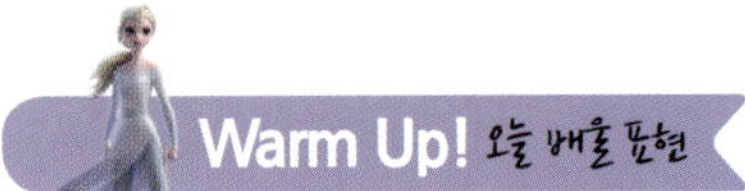

Warm Up! 오늘 배울 표현   오늘 등장하는 표현들입니다. 어떤 표현이 들어가야 할지 생각해 보세요.

* Perhaps to   the actions of your people.
아마도 당신네 사람들의 행위에 대해 보전해 주려는 거겠지.

* My people are   . 우리 사람들은 무고해요.

*   . 진실을 꼭 찾게 될 바랍니다.

*   ! 바로 그거야!

MATTIAS
매티어스
Are you really Queen of Arendelle?
당신이 정말 아렌델의 여왕이신가요?

ELSA
엘사
I am.
그래요.

YELANA
옐래나
Why would nature reward a person of Arendelle with magic?
대체 왜 자연이 아렌델 인에게 마법으로 보상해 주는 거지?

MATTIAS
매티어스
Perhaps to **make up for** the actions of your people. ❶
아마도 당신네 사람들의 행위에 대해 보전해 주려는 거겠지.

YELANA
옐래나
My people are **innocent**. ❷ We would have never attacked first.
우리 사람들은 무고해요. 우리는 절대로 먼저 공격하지 않았을 거요.

MATTIAS
매티어스
May the truth be found. ❸ Hi, I'm sorry. What's happening?
진실을 꼭 찾게 되길 바랍니다. 안녕하세요, 실례지만, 무슨 일이죠?

ANNA
안나
That's it! ❹ Lt. Mattias. Library. Second portrait on the left. You were our father's official guard.
바로 그거야! 매티어스 중위. 도서관. 왼쪽에서 두 번째 초상화. 당신은 우리 아버지의 공식 경호원이었어요.

MATTIAS
매티어스
Agnarr. What did happen to your parents?
아그나르. 당신의 부모님은 어떻게 되셨나요?

ANNA
안나
Our parents' ship went down in the Southern Sea six years ago.
우리 부모님의 타고 계셨던 배가 6년 전에 남쪽 바다에서 침몰했어요.

MATTIAS
매티어스
I see him, I see him in your faces.
그가 보여요, 당신들의 얼굴에서 그가 보이네요.

장면 파헤치기

구문 설명과 예문으로 이 장면의 핵심 표현을 완벽히 이해하세요.

❶ Perhaps to make up for the actions of your people. 아마도 당신네 사람들의 행위에 대해 보전해 주려는 거겠지.

make up for는 '보상하다, 보전하다'라는 의미로, 누군가가 손해/피해를 입었을 때 나중에 다른 유익한 것으로 보상해 주는 상황에서 쓰는 표현이에요. make up for 뒤에는 명사구가 따라와요. 이것과 같은 의미로 make it up to도 많이 쓰이는데, 이 표현은 뒤에 me, you, him, her 등과 같은 목적격 인칭대명사가 따라와서 '~에게 보상/보전하다'라는 뜻으로 쓰인답니다.

★ 영화 속 패턴 익히기

❷ My people are innocent. 우리 사람들은 무고해요.

많은 사람이 innocent하면 어린아이처럼 아무것도 모르고, 순수한 이미지를 떠올리는데, 이 단어는 '순수한'이라는 뜻 이외에도, '아무 잘못이 없는, 무죄인, 무고한'이라는 뜻으로도 많이 쓰인답니다.

* You are **innocent** until proven guilty. 유죄가 증명될 때까지는 무죄인 거야.
* The police arrested an **innocent** person. 경찰이 무고한 사람을 체포했다.

❸ May the truth be found. 진실을 꼭 찾게 되길 바랍니다.

May로 시작하는 문장은 격식 차린 감탄문으로 바람과 소망을 나타내어 '~하기를 바랍니다/기원합니다/빕니다'와 같은 뜻으로 쓰여요.

* **May** your wish come true! 당신의 소망이 이루어지기를!
* **May** your soul rest in peace! 그대의 영혼이 평안히 잠들기를!

❹ That's it! 바로 그거야!

위의 표현은 문맥에 따라서는 '바로 그거야!', '다됐다!'라는 뜻으로도 많이 쓰이고, 또 다른 상황에서는 참고 있던 화가 한계점에 달할 때 '이제 더는 못 참아!', '그만해!'와 같은 뜻으로도 자주 쓰여요.

* **That's it!** I quit! 이제 더는 못 참겠어! 난 그만둘래!
* **That's it!** That's what I was trying to say. 바로 그거야! 그게 내가 하려고 했던 말이야.

오늘 배운 장면에서 뽑은 핵심 패턴으로 다양한 표현을 만들어 보세요.

🎧 16-2.mp3

make up for + 명사구

~에 대해 보상/보전하다.

Step 1 기본 패턴 연습하기

1 I need to do something to **make up for** my rudeness.
내가 무례했던 것에 대해 보상하려면 난 무엇인가를 해야만 한다.

2 Nothing can **make up for** that loss. 그것의 유실에 대해 보상할 수 있는 것은 아무것도 없어.

3 David bought me lunch to **make up for** being late.
지각한 것에 대해 보상하기 위해 데이비드가 내게 점심을 샀어.

4 How are you going to ________________________ you caused me?
네가 나에게 준 고통에 대해 어떻게 보상할 거야?

5 I'll take extra lessons to ________________________ I missed.
결석했던 것을 보전하기 위해 보강을 받을 것이야.

Step 2 패턴 응용하기 | make it up to + 사람

1 I'll **make it up to you** somehow. (내가 잘못한 것에 대해) 어떻게든 너에게 보상할게.

2 How are you going to **make it up to me**? 너 나한테 어떻게 보상할 거야?

3 I'm going to **make it up to you** sooner or later. 조만간 너에게 보상할게.

4 How do I ________________________ after hurting his feelings?
남자친구에게 상처 준 것에 대해 그에게 어떻게 보상해야 할까?

5 He tried to ________________________, but it was too late.
그가 나에게 보상해보려 했지만, 이미 때가 늦었다.

Step 3 실생활에 적용하기

A 어떻게 하면 내 실수에 대해 보상할 수 있을까?

B Go apologize to her.

A I did but she won't accept it.

A How can I make up for my mistake?

B 그녀에게 가서 사과해.

A 사과했는데 받아주질 않더라고.

정답 **Step 1** 4 make up for the pain 5 make up for the time **Step 2** 4 make it up to my boyfriend 5 make it up to me

문제를 풀며 오늘 배운 표현을 완벽히 내 것으로 만드세요.

A | 영화 속 대화를 완성해 보세요.

MATTIAS Are you really Queen of Arendelle? 당신이 정말 아렌델의 여왕이신가요?

ELSA I am. 그래요.

YELANA Why would ❶ .... a person of Arendelle with magic? 대체 왜 자연이 아렌델 인에게 마법으로 보상해 주는 거지?

MATTIAS Perhaps to ❷ .... the actions of your people.
아마도 당신네 사람들의 행위에 대해 보전해 주려는 거겠지.

YELANA My people are ❸ .... We would have ❹ .... 우리 사람들은 무고해요. 우리는 절대로 먼저 공격하지 않았을 거요.

MATTIAS ❺ .... Hi, I'm sorry. ❻ .... ? 진실을 꼭 찾게 되길 바랍니다. 안녕하세요, 실례지만, 무슨 일이죠?

ANNA ❼ ....! Lt. Mattias. Library. ❽ .... on the left. You were our father's official guard. 바로 그거야! 매티어스 중위. 도서관. 왼쪽에서 두 번째 초상화. 당신은 우리 아버지의 공식 경호원이었어요.

MATTIAS Agnarr. What did happen ❾ ....?
아그나르. 당신의 부모님은 어떻게 되셨나요?

ANNA Our parents' ship ❿ .... in the Southern Sea six years ago. 우리 부모님의 타고 계셨던 배가 6년 전에 남쪽 바다에서 침몰했어요.

MATTIAS I see him, I see him in your faces.
그가 보여요, 당신들의 얼굴에서 그가 보이네요.

B | 다음 빈칸을 채워 문장을 완성해 보세요.

1 그것의 유실에 대해 보상할 수 있는 것은 아무것도 없어.
   Nothing can .... that loss.

2 네가 나에게 준 고통에 대해 어떻게 보상할 거야?
   How are you going to .... you caused me?

3 결석했던 것을 보전하기 위해 보강을 받을 것이야.
   I'll take extra lessons to .... I missed.

4 남자친구에게 상처 준 것에 대해 그에게 어떻게 보상해야 할까?
   How do I .... after hurting his feelings?

5 그가 나에게 보상해보려 했지만, 이미 때가 늦었다.
   He tried to ...., but it was too late.

Northuldra Scarf

노덜드라의 스카프

엘사와 안나가 가지고 있던 어머니의 스카프를 본 노덜드라 인들이 그 스카프가 선조로부터 내려오는 노덜드라의 스카프라고 하네요. 이게 어찌 된 영문인지 의아해하던 wondering 엘사와 안나는 그들의 어머니가 노덜드라 인이었다는 것을 깨달았어요. 그러고 보니 come to think of it, 아버지를 구했던 그 노덜드라 소녀가 바로 어머니였고, 원수의 나라 소년을 구해준 사실이 드러났네요 it turns out. 그래서, 어머니는 평생 all her life 자신의 출신에 origin 대해 제대로 말하지 못하고 살았던 거로군요. 어머니의 과거의 진실에 대해 알게 된 엘사와 안나. 이제 또 어떤 과거의 진실과 마주하게 될까요?

Warm Up! 오늘 배울 표현

오늘 등장하는 표현들입니다. 어떤 표현이 들어가야 할지 생각해 보세요.

* ___________________ ?! 너 뭐 하고 있었던 거니?!

* ___________________. 그러다가 죽을 수도 있었잖아.

* ___________________. 별로 안 괜찮아.

* ___________________. 네게 필요한 것이 뭔지 알아.

ELSA
엘사
: **What were you doing?!** ❶ **You could have been killed.** ❷ You can't just follow me into fire.
너 뭐 하고 있었던 거니?! 그러다가 죽을 수도 있었잖아. 그렇게 막 나를 따라서 불길로 뛰어들면 안 돼.

ANNA
안나
: You don't want me to follow you into fire, then don't run into fire! You're not being careful, Elsa.
내가 언니를 따라 불길로 들어가는 것을 원치 않으면 언니가 불길 속으로 뛰어들지 말란 말이야! 조심성이 너무 없어, 엘사.

ELSA
엘사
: I'm sorry. Are you okay?
미안해. 넌 괜찮니?

ANNA
안나
: **I've been better.** ❸
별로 안 괜찮아.

ELSA
엘사
: Hm, **I know what you need.** ❹
흠. 네게 필요한 것이 뭔지 알아.

YELANA
옐라나
: Where did you get that scarf?
그 스카프 어디서 난 거지?

RYDER
라이더
: That's a Northuldra scarf.
그건 노덜드라의 스카프죠.

ANNA
안나
: What?
뭐라고?

HONEYMAREN
허니마린
: This is from one of our oldest families.
이건 우리의 가장 오래된 선조로부터 내려온 거예요.

ANNA
안나
: ...It was our mother's.
…이건 우리 어머니 거예요.

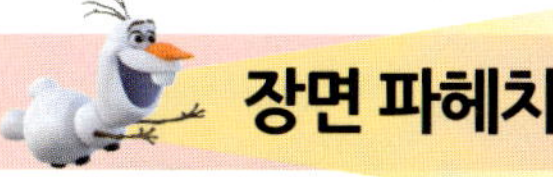

장면 파헤치기

구문 설명과 예문으로 이 장면의 핵심 표현을 완벽히 이해하세요.

❶ What were you doing?! 너 뭐 하고 있었던 거니?!

상대방이 뭔가 숨어서 수상한 짓을 하고 있었다거나, 납득하기 힘든 장소에서 또는 시간에 무언가를 하고 있을 때 다그치듯 '너 거기서 (이 시간에) 뭐 하고 있었던 거야?'라고 물을 때 쓰는 표현이에요.

* **What were you doing** there? 너 거기서 뭐 하고 있던 거야?
* **What were you doing** up so late? 그렇게 늦게까지 뭐 하고 있던 거야?

❷ You could have been killed. 그러다가 죽을 수도 있었잖아.

〈could have been + 과거분사〉는 '~한 상태/상황이 될 수도 있었다'는 의미로 쓸 수 있는 패턴 표현이에요. 현재의 결과는 그렇게 되지 않았지만 어쩌면 (다른 선택을 했더라면) 그렇게 될 수도 있었다는 것을 가정하며 말하는 것이지요. been 대신 다른 과거분사를 넣어서 〈could have + 과거분사〉의 형식으로도 함께 패턴 문장으로 연습해 볼게요.

★ 영화 속 패턴 익히기

❸ I've been better. 별로 안 괜찮아.

상대방이 Are you okay? '괜찮아?'라고 묻거나 How are you? 라고 물을 때, 그에 대한 대답으로 I've been better. 라고 하면 '이보다 더 좋을 때도 있었어'라는 뜻이에요. 더 이해하기 쉽게 의역을 하면 '지금은 별로 기분이 (상태가) 좋지 않아'라는 뜻이 되겠죠. better 대신 worse를 넣는다면 정반대의 뜻으로 '이보다 더 안 좋을 때도 있었어', 다시 말해, '이 정도는 괜찮아'라는 의미가 되겠죠.

* **I've been better** before. 기분이 별로 안 좋네.
* **I've been** worse. 이 정도는 괜찮아.

❹ I know what you need. 네게 필요한 것이 뭔지 알아.

〈I know what you + 동사〉 형식을 사용해서 '네가 ~하는/한 것을 알아'라는 의미로 쓸 수 있는 표현이에요. 네가 원하는 것이(want) 무엇인지, 네가 필요로 하는 것이(need) 무엇인지, 네가 생각하고 있는 것이(have in mind) 무엇인지. 네가 한 것이(did) 무엇인지, 네가 가진 것이(have) 무엇인지 등 맨 뒤에 나오는 동사만 바꿔가며 패턴 연습을 하면 다양한 상황에서 활용할 수 있겠어요.

* **I know what you want.** 네가 원하는 것이 뭔지 알아.
* **I know what you have in mind.** 네가 무슨 생각하는지 알아.

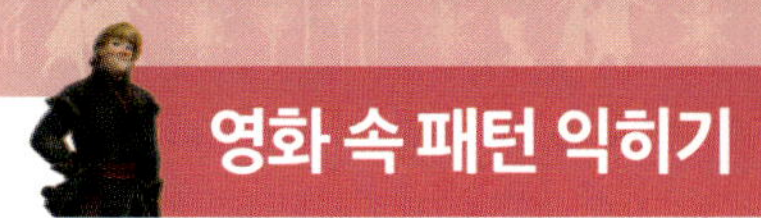

오늘 배운 장면에서 뽑은 핵심 패턴으로 다양한 표현을 만들어 보세요.

🎧 17-2.mp3

You could have been ~

넌 ~한 상황이 될 수도 있었어.

Step 1 기본 패턴 연습하기

1 **You could have been** nice to me. 네가 나에게 친절하게 대해줄 수도 있었잖아.

2 **You could have been** a doctor. 넌 의사가 될 수도 있었어.

3 **You could have been** anything you wanted to be. 넌 네가 원하는 그 무엇도 될 수 있었어.

4 __________ a billionaire. 넌 억만장자가 될 수도 있었어.

5 __________ expelled from school. 너 학교에서 퇴학당할 수도 있었어.

Step 2 패턴 응용하기 | 주어 + could have + 과거분사

1 I **could have told** you, but didn't. 너에게 말해줄 수도 있었지만, 안 했지.

2 My grandmother **could have been** a ballerina. 나의 할머니는 발레리나가 되실 수도 있었어.

3 We **could have had** it all. 우리는 세상 모든 걸 다 가질 수도 있었는데.

4 They __________ friends. 그들이 친구가 될 수도 있었는데.

5 I __________ up all night. 난 밤을 샐 수도 있었어.

Step 3 실생활에 적용하기

A I shouldn't have left you alone.

B It's okay. Nothing happened.

A 그렇지만 네가 다칠 수도 있었다고.

A 널 혼자 두고 가는 게 아니었는데.

B 괜찮아요. 아무 일도 없었잖아요.

A But you could have been hurt.

정답 **Step 1** 4 You could have been 5 You could have been **Step 2** 4 could have been 5 could have stayed

문제를 풀며 오늘 배운 표현을 완벽히 내 것으로 만드세요.

A | 영화 속 대화를 완성해 보세요.

ELSA ❶______________________?! ❷__________________________. You can't ❸__________________ into fire. 너 뭐 하고 있었던 거니?! 그러다가 죽을 수도 있었잖아. 그렇게 막 나를 따라서 불길로 뛰어들면 안 돼.

ANNA You don't want me to ❹__________________________, then don't run into fire! You're ❺__________________________, Elsa. 내가 언니를 따라 불길로 들어가는 것을 원치 않으면 언니가 불길 속으로 뛰어들지 말란 말이야! 조심성이 너무 없어, 엘사.

ELSA I'm sorry. Are you okay? 미안해. 넌 괜찮니?

ANNA ❻__________________________. 별로 안 괜찮아.

ELSA Hm, ❼__________________________. 흠, 네게 필요한 것이 뭔지 알아.

YELANA Where did you ❽__________________? 그 스카프 어디서 난 거지?

RYDER That's a Northuldra scarf. 그건 노덜드라의 스카프죠.

ANNA What? 뭐라고?

HONEYMAREN This is from one of ❾__________________________. 이건 우리의 가장 오래된 선조로부터 내려온 거예요.

ANNA ...It was ❿__________________________. ...이건 우리 어머니 거예요.

B | 다음 빈칸을 채워 문장을 완성해 보세요.

1 넌 의사가 될 수도 있었어.

__________________________ a doctor.

2 넌 억만장자가 될 수도 있었어.

__________________________ a billionaire.

3 너 학교에서 퇴학당할 수도 있었어.

__________________________ expelled from school.

4 그들이 친구가 될 수도 있었는데.

They __________________________ friends.

5 난 밤을 샐 수도 있었어.

I __________________________ up all night.

A Fifth Spirit

다섯 번째 정령

노덜드라의 여인, 허니마린과 대화를 나누던 엘사는 그녀에게서 마법의 정령들에 대한 새로운 사실을 알게 됩니다.^{learn new things} 엘사가 알고 있는 마법의 정령은 물, 땅, 바람, 불 이렇게 네 가지인데, 다섯 번째 정령이 있다는 거예요. 그 다섯 번째 정령은 사람들과 자연의 마법 사이의 다리 역할을^{a bridge between us and the magic of nature} 한다고 그러네요. 그 정령의 정체에 대해선 오직 아토할란만이 알고 있다고 해요. '오직 아토할란만이 알고 있다'는 말은 전에도 어디선가^{from somewhere} 들은 것 같은데요. 어렸을 때^{when she was young} 어머니가 자장가를 불러줄 때 했던 말이죠.

Warm Up! 오늘 배울 표현

오늘 등장하는 표현들입니다. 어떤 표현이 들어가야 할지 생각해 보세요.

* ___________________________________. 내가 뭘 좀 보여줄게요.

* ___________________ a bridge between us and the magic of nature.
그것이 우리와 자연의 마법 사이를 연결해 주는 다리라고 해요.

* ___________________ they heard it call out the day the forest fell.
어떤 사람들은 이 숲이 무너진 날 그 목소리가 외치는 소리가 들렸다고 했어요.

* ___________________________________? 나를 부르는 게 그 목소리라고 생각하나요?

HONEYMAREN **I want to show you something.**[1] May I?
허니마린 내가 뭘 좀 보여줄게요. 그래도 될까요?

HONEYMAREN You know air, fire, water and earth.
허니마린 여기 바람, 불, 물, 그리고 땅.

ELSA Yes?
엘사 그리고요?

HONEYMAREN But look. There's a fifth spirit. **Said to be** a bridge between us and the magic of nature.[2]
허니마린 하지만 봐요. 다섯 번째 정령이 있어요. 그것이 우리와 자연의 마법 사이를 연결해 주는 다리라고 해요.

ELSA A fifth spirit?
엘사 다섯 번째 정령?

HONEYMAREN **Some say** they heard it call out the day the forest fell.[3]
허니마린 어떤 사람들은 이 숲이 무너진 날 그 목소리가 외치는 소리가 들렸다고 했어요.

ELSA My father heard it. **Do you think that's who's calling me?**[4]
엘사 우리 아버지도 들으셨어요. 나를 부르는 게 그 목소리라고 생각하나요?

HONEYMAREN Maybe. Alas, only Ahtohallan knows.
허니마린 어쩌면. 아아, 오직 아토할란만이 알겠죠.

ELSA Ahtohallan—
엘사 아토할란—

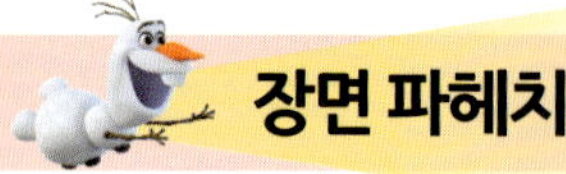

❶ I want to show you something. 내가 뭘 좀 보여줄게요.

'내가 너에게 뭘 좀 ~할게/해줄게'라고 할 때 〈I want to + 동사 + you〉 형식으로 말합니다. 문자 그대로 해석하면 I want to 부분을 '~을 하고 싶어'라고 해야 하지만, 실제로는 '~할게/해 줄게'로 해석하는 것이 조금 더 자연스럽네요.

* **I want to tell you something.** 내가 뭘 좀 말해 줄게.
* **I want to ask you something.** 내가 뭘 좀 물어볼게.

❷ Said to be a bridge between us and the magic of nature.
그것이 우리와 자연의 마법 사이를 연결해 주는 다리라고 해요.

〈Said to + 동사〉는 '~라고 한다', '~라는 말이 있다'는 뜻의 표현이에요. 원래는 앞에 '주어 + 동사'가 있는 것이 맞지만, 구어체에서는 지금과 같이 시작 부분에 'It is'가 나올 경우에는 그 부분을 생략하고 쓰는 경우도 많답니다. 이 표현과 비슷하게 They say로 문장을 시작해도 '~라고 하더라'는 뜻이 되는데요, They는 '(불특정 다수의) 사람들'이라고 보면 되겠어요. 뒤에서 패턴으로 연습해 보세요.

★영화 속 패턴 익히기

❸ Some say they heard it call out the day the forest fell.
어떤 사람들은 이 숲이 무너진 날 그 목소리가 외치는 소리가 들렸다고 했어요.

Some say는 Some people say와 동의 표현이에요. '어떤 사람들은 ~라고 (말)한다'는 뜻이지요. 모두가 다 그런 것은 아니지만 '어떤 사람들은 ~라고 말한다'라고 할 때 쓰는 표현이에요.

* **Some say** you are a saint. 어떤 사람들은 당신을 성자라고 하더라고요.
* **Some say** it's going to get worse. 어떤 사람들은 그것이 더 심해질 거라고 하더라.

❹ Do you think that's who's calling me? 나를 부르는 게 그 목소리라고 생각하나요?

문장에서 That's what's, That's who's와 같은 조합을 쓰면 '그것(사람)이 ~한 사람/것이다'라는 의미가 돼요. 예를 들어, That's what's bad. '그것이 나쁜 것이다', 또는 That's who's helping me. '저 사람이 나를 돕는 사람이다' 이런 식으로 쓸 수 있답니다.

* **That's what's** causing the noise. 저것이 소음을 발생시키는 것이다.
* Is **that who's** been following you around? 저 사람이 너를 졸졸 따라다닌 사람이야?

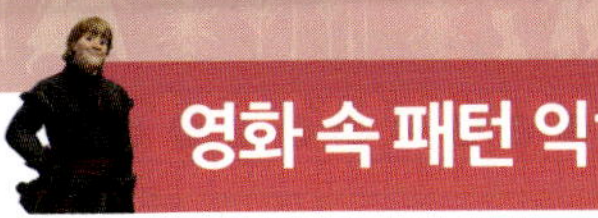

영화 속 패턴 익히기 오늘 배운 장면에서 뽑은 핵심 패턴으로 다양한 표현을 만들어 보세요.

🎧 18-2.mp3

주어 + be동사 + said to be ~ ~는 ~라고 한다/ ~라는 말이 있다.

Step 1 기본 패턴 연습하기

1 Sara is **said to be** popular. 사라는 인기가 많다고 하더라.

2 He is **said to be** kind. 그는 친절하다고 한다.

3 Beethoven is **said to be** one of the greatest musicians. 베토벤은 가장 위대한 음악가 중 한 명이라고 한다.

4 This book ________________________ the best-selling novel of all time.
이 책이 역대 가장 많이 팔린 소설이라고 한다.

5 This restaurant ________________________ good. 이 식당 정말 괜찮다고 하더라.

Step 2 패턴 응용하기 | They say + 주어 + 동사

1 **They say** it's never too late. 그 어떤 일에도 너무 늦었다는 건 없다고 하더라.

2 **They say** that is a good company to work for. 거기가 일하기 좋은 회사라고 하더라.

3 **They say** nothing stays the same. 세상에 변하지 않는 것은 아무것도 없다고 하더라.

4 ________________________ begins in the dark. 희망은 어둠 속에서 싹트는 것이라고 하더라.

5 ________________________ is the best policy. 솔직하게 말하는 것이 가장 좋은 방법이라고 하더라.

Step 3 실생활에 적용하기

A 유기농 야채가 건강에 좋다고 하더라.

B Of course they are. And they're very expensive.

A That's true.

A Organic vegetables are said to be healthy.

B 당연히 그렇겠지. 비싸잖아.

A 그렇긴 하네.

정답 **Step 1 4** is said to be **5** is said to be very **Step 2 4** They say hope **5** They say honesty

문제를 풀며 오늘 배운 표현을 완벽히 내 것으로 만드세요.

A | 영화 속 대화를 완성해 보세요.

HONEYMAREN ❶ _________________________. ❷ _________________?
내가 뭘 좀 보여줄게요. 그래도 될까요?

HONEYMAREN You know ❸ _________________________.
여기 바람, 불, 물, 그리고 땅.

ELSA Yes? 그리고요?

HONEYMAREN ❹ _________________. There's a ❺ _________________.
❻ _________________ a bridge between us and the magic of nature. 하지만 봐요. 다섯 번째 정령이 있어요. 그것이 우리와 자연의 마법 사이를 연결해 주는 다리라고 해요.

ELSA A fifth spirit? 다섯 번째 정령?

HONEYMAREN ❼ _________________ they heard it call out the day the forest fell. 어떤 사람들은 이 숲이 무너진 날 그 목소리가 외치는 소리가 들렸다고 했어요.

ELSA My father ❽ _________________. ❾ _________________
_________________? 우리 아버지도 들으셨어요. 나를 부르는 게 그 목소리라고 생각하나요?

HONEYMAREN Maybe. Alas, ❿ _________________ Ahtohallan knows.
어쩌면. 아아, 오직 아토할란만이 알겠죠.

ELSA Ahtohallan— 아토할란—

B | 다음 빈칸을 채워 문장을 완성해 보세요.

1 베토벤은 가장 위대한 음악가 중 한 명이라고 한다.
   Beethoven is _________________ one of the greatest musicians.

2 이 책이 역대 가장 많이 팔린 소설이라고 한다.
   This book _________________ the best-selling novel of all time.

3 이 식당 정말 괜찮다고 하더라.
   This restaurant _________________ good.

4 희망은 어둠 속에서 싹트는 것이라고 하더라.
   _________________ begins in the dark.

5 솔직하게 말하는 것이 가장 좋은 방법이라고 하더라.
   _________________ is the best policy.

Settling the Giants
거인들 진정시키기

아렌델과 노덜드라 사람들이 모처럼[after a long time] 평화로운 시간을 보내던 그때 저 멀리서 쿵쿵[Boom] 소리와 함께 땅이 흔들립니다[the ground shakes]. 그 불청객은 바로 거대한[massive] 바위 거인[Earth Giants] 이랍니다. 두려움에 모두 숨는데[hide] 엘사가 거인들을 따라나서려고 합니다. 안나는 그런 언니를 붙잡고 말립니다. 엘사는 바람의 정령과 불의 정령을 진정시킨 것처럼 자신이 거인들도 진정시킬[settle] 수 있을 것 같다고 생각하지만, 안나는 도저히 불안해서[worried] 언니를 보내줄 수가 없네요.

Warm Up! 오늘 배울 표현   오늘 등장하는 표현들입니다. 어떤 표현이 들어가야 할지 생각해 보세요.

*   you were not about to follow them.   제발 그들을 따라가려고 했던 건 아니라고 말해 줘.

*   I can settle them like I did to wind and fire?
만약에 내가 바람과 불에게 했듯이 저들을 진정시킬 수 있다면?

*   .   하마터면 큰일 날 뻔했어.

* I don't want to   .   다시는 그 누구도 위험에 처하게 하고 싶지 않아.

ANNA
안나

Please tell me you were not about to follow them.❶
제발 그들을 따라가려고 했던 건 아니라고 말해 줘.

ELSA
엘사

What if I can settle them like I did to wind and fire?❷
만약에 내가 바람과 불에게 했듯이 저들을 진정시킬 수 있다면?

ANNA
안나

Or what if they can crush you before you even get the chance? Remember, the goal is to find the voice, find the truth, and get us home.
만약에 언니에게 기회가 오기도 전에 그들이 언니를 뭉개버리면? 기억해. 우리의 목표는 목소리를 찾아서 진실을 알아내고 집으로 돌아가는 거라는 걸.

OLAF
올라프

Hey, guys. **That was close.**❸
얘들아. 하마터면 큰일 날 뻔했어.

ELSA
엘사

I know. The giants sensed me. They may come back here. I don't want to **put anyone at risk again**.❹ And you're right, Anna; we've got to find the voice. We're going now.
그러게. 거인들이 나를 감지했어. 그들이 여기로 다시 올지도 몰라. 다시는 그 누구도 위험에 처하게 하고 싶지 않아. 그리고 네 말이 맞아, 안나; 우린 그 목소리를 찾아야만 해. 지금 당장 가자.

❶ Please tell me you were not about to follow them. 제발 그들을 따라가려고 했던 건 아니라고 말해 줘.

상대방이 설마 그런 일을 하리라고는 믿기지 않는 행동을 할 때, '제발 ~는 아니라고 말해 줘', '제발 ~라고 말해 줘'라는 뜻으로 쓸 수 있는 표현이 〈Please tell me + 주어 + 동사〉예요.

* **Please tell me** you didn't do this! 제발 네가 한 게 아니라고 말해 줘!
* **Please tell me** you're lying! 제발 지금 거짓말하고 있는 것이라고 말해 줘!

❷ What if I can settle them like I did to wind and fire?
만약에 내가 바람과 불에게 했듯이 저들을 진정시킬 수 있다면?

What if ~는 '혹시/만약 ~면 어쩌지?', '혹시/만약 ~면 어떻게 될까?'라는 의미로 가정 또는 만약의 문제를 제기하는 표현이에요. 여기에서는 What if I can으로 시작하는 패턴과 더 광범위하게 What if로 시작하는 패턴을 함께 연습해 볼게요. ★ 영화 속 패턴 익히기

❸ That was close. 하마터면 큰일 날 뻔했어.

close는 '가까운' 또는 '(문, 커튼 등을) 닫다'라는 뜻으로 가장 많이 알고 있지만, '거의/곧 ~할 것 같은'이라는 의미로도 아주 많이 쓰여요. 특히, 스포츠 경기를 할 때 골이 들어갈 뻔하다가 아깝게 벗어났을 때, 또는 공을 잡을 뻔했는데 놓쳤을 때 등 우리말로 '아, 아깝다'라는 표현을 영어로는 That was close! 라고 한답니다.

* A: Oh my God, you almost got hit by a car. 맙소사, 너 하마터면 차에 치일 뻔했어.
  B: Yeah, **that was close.** 그래, 정말 큰일 날 뻔했네.

❹ I don't want to put anyone at risk again. 다시는 그 누구도 위험에 처하게 하고 싶지 않아.

put someone at risk는 '~를 위험에 처하게 하다'라는 의미의 숙어예요. 같은 의미로 put someone in danger 또는 put someone in jeopardy와 같은 표현들도 많이 쓰이니 함께 알아 두세요. 참고로, put의 과거형과 과거분사는 모두 put이나 문맥에 맞춰 시제를 식별해 주세요.

* You **put everyone** here **at risk**. 네가 여기에 있는 모든 사람을 다 위험에 처하게 했어.
* My lifestyle **put me at risk**. 내 생활 방식이 나를 위험에 처하게 한다.

오늘 배운 장면에서 뽑은 핵심 패턴으로 다양한 표현을 만들어 보세요.

🎧 19-2.mp3

What if I can + 동사 ~?

(만약) 내가 ~할 수 있으면 어떨까/어쩌지?

Step 1 기본 패턴 연습하기

1 **What if I can** fly? 내가 날 수 있다면 어떨까?

2 **What if I can** write a book? 내가 책을 쓸 수 있다면 어떨까?

3 **What if I can** speak Chinese? 중국어를 할 수 있다면 어떨까?

4 .... the smartest person in the whole world?
내가 전세계에서 가장 똑똑한 사람이면 어떨까?

5 .... never be happy? 내가 절대 행복해질 수 없다면 어쩌지?

Step 2 패턴 응용하기 | What if ~

1 **What if** I lose everything? 모든 것을 다 잃으면 어떻게 하지?

2 **What if** I win the lottery? 로또에 당첨되면 어떻게 하지?

3 **What if** I never get over her? 그녀를 영원히 못 잊으면 어떻게 하지?

4 .... wrong for each other? 우리가 서로에게 맞는 짝이 아니면 어떻게 하지?

5 .... made for each other? 그들이 서로 천생연분이면 어떻게 하지?

Step 3 실생활에 적용하기

A Be careful not to get involved with that guy.

B 만약 내가 그를 변화시킬 수 있다면?

A Nonsense!

A 그 남자와 연루되지 않도록 조심해라.

B What if I can change him?

A 말도 안 되는 소리!

정답　Step 1　4 What if I can be　5 What if I can　Step 2　4 What if we are　5 What if they are

문제를 풀며 오늘 배운 표현을 완벽히 내 것으로 만드세요.

A | 영화 속 대화를 완성해 보세요.

ANNA ❶________________ you were not ❷________________.
제발 그들을 따라가려고 했던 건 아니라고 말해 줘.

ELSA ❸________________ I can settle them like I ❹________________
________________? 만약에 내가 바람과 불에게 했듯이 저들을 진정시킬 수 있다면?

ANNA Or what if they can ❺________________ you even get the chance? Remember, ❻________________ find the voice, find the truth, and get us home.
만약에 언니에게 기회가 오기도 전에 그들이 언니를 뭉개버리면? 기억해, 우리의 목표는 목소리를 찾아서 진실을 알아내고 집으로 돌아가는 거라는 걸.

OLAF Hey, guys. ❼________________. 얘들아. 하마터면 큰일 날 뻔했어.

ELSA I know. The giants ❽________________. They may come back here. I don't want to ❾________________
________________. And you're right, Anna; we've got to ❿________________. We're going now.
그러게. 거인들이 나를 감지했어. 그들이 여기로 다시 올지도 몰라. 다시는 그 누구도 위험에 처하게 하고 싶지 않아. 그리고 네 말이 맞아, 안나; 우린 그 목소리를 찾아야만 해. 지금 당장 가자.

정답 A

❶ Please tell me
❷ about to follow them
❸ What if
❹ did to wind and fire
❺ crush you before
❻ the goal is to
❼ That was close
❽ sensed me
❾ put anyone at risk again
❿ find the voice

B | 다음 빈칸을 채워 문장을 완성해 보세요.

1 내가 날 수 있다면 어떨까?
________________ fly?

2 내가 전세계에서 가장 똑똑한 사람이면 어떨까?
________________ the smartest person in the whole world?

3 내가 절대 행복해질 수 없다면 어쩌지?
________________ never be happy?

4 우리가 서로에게 맞는 짝이 아니면 어떻게 하지?
________________ wrong for each other?

5 그들이 서로 천생연분이면 어떻게 하지?
________________ made for each other?

정답 B

1 What if I can
2 What if I can be
3 What if I can
4 What if we are
5 What if they are

Long Gone
이미 떠난 지 오래

크리스토프의 청혼 프로젝트를 도우려고 노덜드라 청년 라이더가 적극적으로 발 벗고 나섭니다. 순록들을 모아서 아름다운 대형을 ^{formation} 만들고, 촛불도 세팅하고 깜짝 이벤트를 준비하려고 해요. 만반의 준비를 ^{be all set} 하고 안나가 오기만을 기다리는데, 저 멀리서 한 여인이 다가오는 게 ^{approach} 보여요. 마침내 여인이 도착하자 크리스토프가 한쪽 무릎을 꿇고 청혼하지만 보기 좋게 거절당합니다 ^{get rejected}. 그 여인은 안나가 아니라 옐레나였어요. 그녀가 말하기를, 안나는 엘사와 함께 이미 노덜드라를 떠난 지 오래되었다고 ^{long gone} 하네요. 민망하기가 이루 말할 수 없게 된 크리스토프와 라이더. 민망해서 서로 얼굴도 못 볼 지경이에요.

Warm Up! 오늘 배울 표현

오늘 등장하는 표현들입니다. 어떤 표현이 들어가야 할지 생각해 보세요.

* _______________ ? 저와 결혼해 주겠소?
* _______________ . 그들은 이미 오래전에 떠났네.
* You can _______________ if you want. 자네가 원한다면 우리와 같이 가도 좋고.
* I better _______________ . 난 가서 짐을 싸야겠다.

KRISTOFF
크리스토프

Princess Anna of Arendelle, my feisty, fearless, ginger sweet love, **will you marry me?** ❶
아렌델의 안나 공주, 나의 거침없고, 두려움 없고, 활기 달콤한 그대여, 저와 결혼해 주겠소?

YELANA
옐레나

Um… No…. The Princess left with the Queen.
음… 아니… 공주는 여왕과 함께 떠났네.

KRISTOFF
크리스토프

What? Wait, what? What?!
뭐라고요? 잠깐, 뭐요? 뭐라고요?!

YELANA
옐레나

I wouldn't try to follow. **They're long gone.** ❷
따라갈 생각은 안 하는 게 좋을 거야. 이미 오래전에 떠났으니.

KRISTOFF
크리스토프

Long gone?
오래전에 떠났다고요?

YELANA
옐레나

So, yeah… Um, we're heading west to the lichen meadows. You can **come with us** if you want. ❸
그래, 그러니까… 음, 우린 이끼 초원이 있는 서쪽으로 갈 거야. 자네가 원한다면 우리와 같이 가도 좋고.

RYDER
라이더

Hey, I'm really sorry that…
이봐, 정말 미안하게 됐네…

KRISTOFF
크리스토프

No, I'm fine.
아냐. 난 괜찮아.

RYDER
라이더

Yeah. Yup. Okay. I better **go pack.** ❹ You coming with?
그래. 어. 좋아. 난 가서 짐을 싸야겠다. 같이 갈래?

KRISTOFF
크리스토프

I'll just uh— Yeah I'll meet you there.
난 그냥 어— 그래 거기에서 만나자.

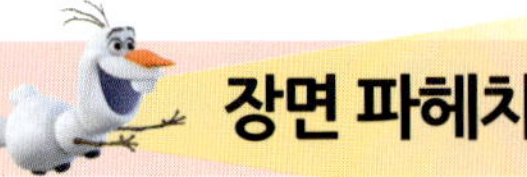

장면 파헤치기

구문 설명과 예문으로 이 장면의 핵심 표현을 완벽히 이해하세요.

---

❶ Will you marry me? 저와 결혼해 주겠소?

영어권 사람들은 대부분 사람이 청혼할 때 이 표현을 한답니다. 한국어의 '~와 함께' 해석으로 간혹 marry with~ 라고 하는 실수를 저지르는데, 이것은 틀린 표현입니다. marry 의미에 '~와'가 이미 들어가 '~와 결혼하다'라는 뜻이거든요. marry 뒤에 with를 붙이면 안 된다는 점 명심하세요.

* A: **Will you marry me?** 나랑 결혼해 줄래?
  B: Of course I will! 물론이지!

---

❷ They're long gone. 그들은 이미 오래전에 떠났어.

long gone은 '이미 오래전에 떠난/사라진'이라는 뜻으로 조금 더 쉬운 영어표현으로 gone a long time ago와 같은 의미의 표현이에요. 〈be동사 + long gone〉 형식으로 쓰는 것을 기억해 주세요.

* Although he has been **long gone**, everyone still misses him.
  그가 사라진 지 이미 오래지만, 모두가 여전히 그를 그리워한다.
* They are **long gone** but not forgotten. 그들이 떠난 지 이미 오래되었지만, 잊히지는 않았다.

---

❸ You can come with us if you want. 자네가 원한다면 우리와 같이 가도 좋고.

대부분 '가다'를 영어로는 go, '오다'를 'come'이라고 한다고 알고 있지만 실제로는 come이 '가다'로 해석되는 경우가 꽤 많아요. 내가 어딘가로 향해 가는데, 상대방이 내가 움직이는 방향으로 와서 함께 가게 되는 경우에는, come이 '가다'로 해석돼요. 예를 들어, 내가 파티를 가는데 상대방에게 '너도 같이 갈래?'라고 물을 때는, Do you want to go with me? 라고 하지 않고, Do you want to come with me? 라고 한답니다.

* **Come with me.** Let me show you something. 나랑 같이 가자. 내가 뭘 좀 보여줄게.
* Why don't you **come with us**? 우리랑 같이 가는 게 어때?

---

❹ I better go pack. 난 가서 짐을 싸야겠다.

위의 문장에서 강조하고 싶은 부분은 go pack 부분인데요, 'go + 동사' 형식의 표현은 '가서 ~하다'라는 뜻이에요. 예를 들어, go bring it이라고 하면 '가서 그것을 가져와'라는 뜻이 되는데, 원래 이 문장은 go and bring it에서 and가 생략된 것이랍니다. 구어체에서는 'go and + 동사'에서 and를 생략하는 경우가 많아요. 때때로 이 경우 'go to + 동사'에서 to가 생략되었다고 착각하는 경우가 있는데, to가 아닌 and가 생략된 것입니다.

 오늘 배운 장면에서 뽑은 핵심 패턴으로 다양한 표현을 만들어 보세요.

🎧 20-2.mp3

go + 동사 가서 ~하다.

Step 1 기본 패턴 연습하기

1 **Go ask** him! 가서 그에게 물어봐라!

2 You should **go do** it now before it's too late. 너무 늦기 전에 그 일은 지금 가서 해야 한다.

3 I'm going to **go tell** her the truth. 그녀에게 가서 진실을 말할 거야.

4 Why don't you ________________? 가서 네 가방을 가져오지 그러니?

5 Let me ________________ my suitcase! 난 가서 여행 가방을 꾸릴게!

Step 2 패턴 응용하기 | go and + 동사

1 Do you want to **go and get** something to eat? 가서 뭘 좀 먹을까?

2 It's time for you to **go and study**. 이제 가서 공부할 시간이야.

3 **Go and have** fun! 가서 즐겁게 놀아라!

4 I'm going to ________________ everyone know about this. 가서 모두에게 이 일에 대해서 알릴 거야.

5 I think you should ________________ a nap. 넌 가서 낮잠 좀 자야 할 것 같아.

Step 3 실생활에 적용하기

A I'm glad you made it!　　A 네가 와주어서 기뻐!

B Thanks for inviting me.　　B 초대해 줘서 고마워.

A You're welcome. 자, 이제 가서 파티를 즐겨!　　A 천만에. Now, go enjoy the party!

정답　**Step 1** 4 go get your bag　5 go pack　**Step 2** 4 go and let　5 go and take

문제를 풀며 오늘 배운 표현을 완벽히 내 것으로 만드세요.

A | 영화 속 대화를 완성해 보세요.

KRISTOFF Princess Anna of Arendelle, my feisty, ❶______________, ginger sweet love, ❷______________? 아렌델의 안나 공주, 나의 거침없고, 두려움 없고, 활기 달콤한 그대여, 저와 결혼해 주겠소?

YELANA Um... No.... The Princess ❸______________ the Queen. 음… 아니… 공주는 여왕과 함께 떠났네.

KRISTOFF What? Wait, what? What?! 뭐라고요? 잠깐, 뭐요? 뭐라고요?!

YELANA I wouldn't ❹______________. ❺______________. 따라갈 생각은 안 하는 게 좋을 거야. 이미 오래전에 떠났으니.

KRISTOFF Long gone? 오래전에 떠났다고요?

YELANA So, yeah... Um, we're ❻______________ to the lichen meadows. You can ❼______________ if you want. 그래, 그러니까… 음, 우린 이끼 초원이 있는 서쪽으로 갈 거야. 자네가 원한다면 우리와 같이 가도 좋고.

RYDER Hey, I'm really sorry that... 이봐, 정말 미안하게 됐네…

KRISTOFF No, I'm fine. 아냐, 난 괜찮아.

RYDER Yeah. Yup. Okay. I better ❽______________. You ❾______________? 그래. 어. 좋아. 난 가서 짐을 싸야겠다. 같이 갈래?

KRISTOFF I'll just uh— Yeah I'll ❿______________. 난 그냥 어— 그래 거기에서 만나자.

B | 다음 빈칸을 채워 문장을 완성해 보세요.

1 가서 그에게 물어봐라!
______________ him!

2 가서 네 가방을 가져오지 그러니?
Why don't you ______________?

3 난 가서 여행 가방을 꾸릴게!
Let me ______________ my suitcase!

4 가서 모두에게 이 일에 대해서 알릴 거야.
I'm going to ______________ everyone know about this.

5 넌 가서 낮잠 좀 자야 할 것 같아.
I think you should ______________ a nap.

정답 A

❶ fearless
❷ will you marry me
❸ left with
❹ try to follow
❺ They're long gone
❻ heading west
❼ come with us
❽ go pack
❾ coming with
❿ meet you there

정답 B

1 Go ask
2 go get your bag
3 go pack
4 go and let
5 go and take

A Magical Queen of Arendelle

아렌델의 마법의 여왕

부모님이 타고 나갔다가 침몰했던^{sink} 배를 찾은 엘사와 안나. 폐허가 된^{be ruined} 배 안에서 과거에 대한 흔적들을 찾는데, 엘사의 마법의 근원에 대한 진실을 찾아 아토할란으로 향하다가 부모님이 사고를 당하게 된 사실을 알게 되네요. 충격을 받은 엘사는 자신 때문에 부모님이 돌아가시게 되었다며 자책하며^{blame herself} 무너지는데^{collapse}, 안나가 그녀를 위로합니다. 절대 언니의 책임이 아니라고, 오히려 언니는 어머니가 아버지를 구한 것에 대한 보답으로^{as a reward} 정령들이 내린 선물이라고 그렇게 말해 주네요. 저주받은 숲에 대한 과거의 진실을 찾아서 숲을 해방시켜 줄 사람은 언니밖에 없다고, 그 무엇보다 그 누구보다 자신은 언니를 더 믿는다면서 언니에게 무한신뢰를^{unconditional faith} 보냅니다.

Warm Up! 오늘 배울 표현   오늘 등장하는 표현들입니다. 어떤 표현이 들어가야 할지 생각해 보세요.

* You are not ________________ their choices. 그들의 선택에 대해서 네겐 책임이 없어.

* Her good deed ________________ you. 그녀의 선행이 언니로 보상된 거였어.

* ________________ resolve the past, ________________. 만일 누군가 과거를 해결할 수 있다면, 그건 바로 너야.

* ________________, Elsa, more than anyone or anything.
난 언니를 믿어. 엘사, 세상 그 누구, 그 무엇보다도 더.

ANNA
안나

Hey hey hey. What are you doing?

왜 이래 언니. 뭐 하는 거야?

ELSA
엘사

This is my fault. They were looking for answers about me.

이건 내 잘못이야. 그들은 나에 대한 답을 찾고 있었던 거라고.

ANNA
안나

You are not **responsible for** their choices, Elsa. ❶

그들의 선택에 대해서 언니에겐 책임이 없어, 엘사.

ELSA
엘사

No, just their deaths.

아니, 그들의 죽음에 대한 책임이 있을 뿐이지.

ANNA
안나

Stop! No! Yelana asked why would the spirits reward Arendelle with a magical queen? Because our mother saved our father. She saved her enemy. Her good deed **was rewarded with** you. ❷ You are a gift.

그만해! 안 돼! 옐레나가 왜 정령들이 아렌델에 마법의 여왕을 보상으로 주느냐고 물었잖아? 그건 우리의 어머니가 우리 아버지를 구했기 때문이었어. 어머니는 그녀의 적을 구한 거야. 그녀의 선행이 언니로 보상된 거였어. 언니는 선물이라고.

ELSA
엘사

For what?

무엇을 위한 선물?

ANNA
안나

If anyone can resolve the past, if anyone can save Arendelle, and free this forest, **it's you**. ❸ **I believe in you**, Elsa, more than anyone or anything. ❹

만일 누군가 과거를 해결할 수 있다면, 누군가 아렌델을 구하고 이 숲을 해방할 수 있다면, 그건 언니야. 난 언니를 믿어, 엘사, 세상 그 누구, 그 무엇보다도 더.

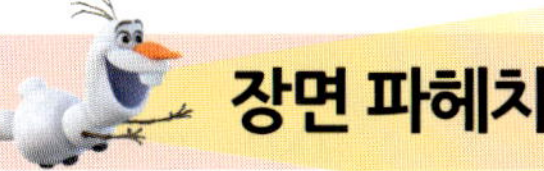

❶ You are not responsible for their choices. 그들의 선택에 대해서 네겐 책임이 없어.

〈be동사 + responsible for something〉은 '~에 대한 책임이 있는, 책임을 져야 할'이라는 뜻의 숙어예요. 누군가를 원망/책망할 때 많이 쓰이는 표현이지요.

* Who do you think is **responsible for** this? 이 일에 대해 누가 책임이 있다고 생각하니?
* We are **responsible for** our decisions. 우리는 우리 결정에 책임이 있어.

❷ Her good deed was rewarded with you. 그녀의 선행이 언니로 보상된 거였어.

〈be동사 + rewarded with〉는 '~(으)로 보상을 받다'라는 뜻이에요. 이 표현에 쓰이는 reward는 '보상, 보상금, 현상금'이라는 의미의 명사로도 쓰이고, '보상하다'라는 의미의 동사로도 쓰이는 단어랍니다.

* My hard work **is rewarded with** more work. 열심히 일했더니 더 많은 일로 보상을 받았다.
* You will **be rewarded with** a promotion. 승진으로 보상받을 것이야.

❸ If anyone can resolve the past, it's you. 만일 누군가 과거를 해결할 수 있다면, 그건 바로 너야.

〈If anyone can ~, it's you〉은 '만일 누군가 ~을 할 수 있다면, (세상 어딘가에 그런 사람이 있다면) 그건 바로 너다'라는 뜻으로 쓰이는 패턴 표현이에요. 맨 뒤에 나오는 you를 다른 인칭대명사로 바꿔가면서 연습하면 좋겠네요.

★영화 속 패턴 익히기

❹ I believe in you, Elsa, more than anyone or anything.
난 언니를 믿어, 엘사, 세상 그 누구, 그 무엇보다도 더.

believe는 단순히 '믿다'라는 뜻으로 누군가의 말을 듣고 그것이 거짓이 아니라는 것을 믿는다고 표현할 때 쓰는데 반해, believe in은 누군가의 말을 믿는 것이 아니라, 그 사람 또는 신의 존재, 인격, 능력 등을 '믿다'라는 뜻이랍니다.

* Do you **believe in** God? 넌 하나님을 믿니?
* I don't **believe in** any religions. 나는 그 어떤 종교도 믿지 않아.

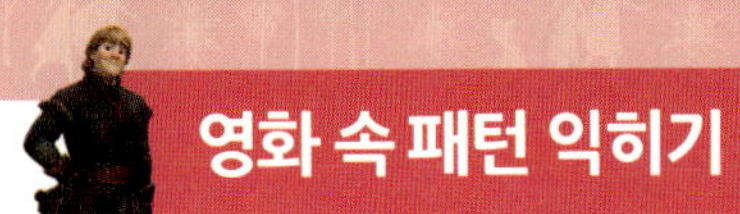

오늘 배운 장면에서 뽑은 핵심 패턴으로 다양한 표현을 만들어 보세요.

🎧 21-2.mp3

If anyone can ~, it's you! 만약 누군가 ~할 수 있는 사람이 있다면, 그건 바로 너야!

Step 1 기본 패턴 연습하기

1 **If anyone can** make a dream come true, **it's you**! 누군가 꿈을 이루게 해 줄 수 있는 사람이 있다면, 그건 바로 너야!

2 **If anyone can** change the world, **it's you**! 세상을 바꿀 수 있는 사람이 있다면, 그건 바로 너다!

3 **If anyone can** answer this question, **it's you**! 이 질문에 답할 수 있는 사람이 있다면, 그건 바로 너야!

4 _________________________! 나를 구해줄 수 있는 사람이 있다면, 그건 바로 너야!

5 ________________ make her fall in love, ____________!
그녀가 사랑에 빠지게 할 수 있는 사람이 있다면, 그건 바로 너야!

Step 2 패턴 응용하기 | If anyone can ~, it's + 목적격 대명사!

1 **If anyone can** beat that record, **it's Randy**. 그 기록을 깰 수 있는 사람이 있다면, 그건 바로 랜디야.

2 **If anyone can** convince you, **it's me**. 누군가 널 설득할 수 있는 사람이 있다면, 그건 바로 나다.

3 **If anyone can** win the competition, **it's Gayle**.
그 경쟁에서 이길 수 있는 사람이 있다면, 그건 바로 게일이다.

4 ________________ it happen, __________.
누군가 그 일이 일어나게 할 수 있는 사람이 있다면, 그건 바로 리즈다.

5 __________________ a better place, __________!
세상을 좀 더 좋은 곳으로 만들 수 있는 사람이 있다면, 그건 바로 우리다!

Step 3 실생활에 적용하기

A Do you think there is anyone who can put an end to this awful situation?

B 그걸 할 수 있는 사람이 있다면, 그건 바로 너야!

A I'm not sure I can.

A 누가 이 끔찍한 상황을 종결시킬 수 있을 것 같니?

B If anyone can do that, it's you!

A 난 그렇게 못 할 것 같은데.

정답 **Step 1** 4 If anyone can save me, it's you! 5 If anyone can, it's you **Step 2** 4 If anyone can make, it's Liz 5 If anyone can make the world, it's us

문제를 풀며 오늘 배운 표현을 완벽히 내 것으로 만드세요.

A | 영화 속 대화를 완성해 보세요.

ANNA Hey hey hey. ❶ _____________? 왜 이래 언니. 뭐 하는 거야?

ELSA ❷ _____________. They were ❸ _____________ answers about me. 이건 내 잘못이야. 그들은 나에 대한 답을 찾고 있었던 거라고.

ANNA You are not ❹ _____________ their choices, Elsa. 그들의 선택에 대해서 언니에겐 책임이 없어, 엘사.

ELSA No, just their deaths. 아니, 그들의 죽음에 대한 책임이 있을 뿐이지.

ANNA Stop! No! Yelana ❺ _____________ would the spirits reward Arendelle with a magical queen? Because our mother saved our father. She saved her enemy. Her good deed ❻ _____________ you. You are a gift.
그만해! 안 돼! 옐레나가 왜 정령들이 아렌델에 마법의 여왕을 보상으로 주느냐고 물었잖아? 그건 우리의 어머니가 우리 아버지를 구했기 때문이었어. 어머니는 그녀의 적을 구한 거야. 그녀의 선행이 언니로 보상된 거였어. 언니는 선물이라고.

ELSA For what? 무엇을 위한 선물?

ANNA ❼ _____________ resolve the past, if anyone can save Arendelle, and free this forest, ❽ _____________. ❾ _____________, Elsa, more than ❿ _____________.
만일 누군가 과거를 해결할 수 있다면, 누군가 아렌델을 구하고 이 숲을 해방할 수 있다면, 그건 언니야. 난 언니를 믿어, 엘사, 세상 그 누구, 그 무엇보다도 더.

❶ What are you doing

❷ This is my fault

❸ looking for

❹ responsible for

❺ asked why

❻ was rewarded with

❼ If anyone can

❽ it's you

❾ I believe in you

❿ anyone or anything

B | 다음 빈칸을 채워 문장을 완성해 보세요.

1 이 질문에 답할 수 있는 사람이 있다면, 그건 바로 너야!
_____________ answer this question, _____________!

2 나를 구해줄 수 있는 사람이 있다면, 그건 바로 너야.
_____________!

3 그녀가 사랑에 빠지게 할 수 있는 사람이 있다면, 그건 바로 너야!
_____________ make her fall in love, _____________!

4 누군가 그 일이 일어나도록 할 수 있는 사람이 있다면, 그건 바로 리즈다.
_____________ it happen, _____________.

5 세상을 좀 더 좋은 곳으로 만들 수 있는 사람이 있다면, 그건 바로 우리다!
_____________ a better place, _____________!

1 If anyone can, it's you

2 If anyone can save me, it's you!

3 If anyone can, it's you

4 If anyone can make, it's Liz

5 If anyone can make the world, it's us

Rising Anger

끓어오르는 분노

엘사가 아토할란으로 가는 험난한 길을 혼자 짊어지겠다고 마음먹고 안나와 올라프를 쫓아버리듯 멀리 보내버리자^{let them go} 올라프는 생애 처음으로^{for the first time in his life} 분노를 느낍니다. 자신의 마음속에서 뭔가가 부글부글 끓어오르는^{fuming} 이 느낌. '아, 이런 게 바로 사람들이 말하는 분노구나' 하면서 안나에게 이야기합니다. 긍정 왕 올라프가 화난 사실에 깜짝 놀란 안나는 그에 공감하며^{empathize} 마음껏^{to his heart's content} 화내라며 따뜻하게 다독여줍니다. 올라프가 '넌 참 남의 얘기를 잘 들어주는구나' 하면서 마음에 안정을 되찾았어요^{feel better}.

Warm Up! 오늘 배울 표현

오늘 등장하는 표현들입니다. 어떤 표현이 들어가야 할지 생각해 보세요.

* But   , I'm sensing rising anger in me.
그런데 내 말은 내 안에서 끓어오르는 분노가 느껴진다는 거야.

* You   be very, very mad at her.   네가 언니에게 화가 나는 건 너무나도 당연한 일이야.

* Everything's done   change.   모든 것이 변하기만 했어.

*   .   넌 참 남의 이야기를 잘 들어주는구나.

OLAF
올라프
Anna, this might sound crazy, but I'm sensing some rising anger.
안나, 좀 이상하게 들릴 수도 있겠지만, 끓어오르는 분노가 느껴져.

ANNA
안나
Well, I am angry, Olaf. She promised me we'd do this together!
그래, 내가 화났으니까, 올라프. 언니가 나와 함께하기로 약속했단 말야!

OLAF
올라프
Ya-huh. But **what I mean is**, I'm sensing rising anger in me. [1]
어-허. 그런데 내 말은 내 안에서 끓어오르는 분노가 느껴진다는 거야.

ANNA
안나
Wait, you're angry?!
잠깐, 네가 화가 났다고?!

OLAF
올라프
I think so? Elsa pushed me away, too. And didn't even say goodbye.
아무래도 그런 것 같은데? 엘사가 나도 밀쳐냈다고. 게다가 작별 인사도 안 했잖아.

ANNA
안나
And you **have every right to** be very, very mad at her. [2]
그래 네가 언니에게 화가 나는 건 너무나도 당연한 일이야.

OLAF
올라프
And you said some things never change but since then everything's done **nothing but** change. [3]
그리고 네가 어떤 것들은 절대 변하지 않는다고 했지만, 그때 이후로 모든 것이 변하기만 했어.

ANNA
안나
I know. But look! I'm still here holding your hand.
나도 알아. 하지만 봐! 난 여전히 네 손을 잡고 있잖아.

OLAF
올라프
Yeah. That's a good point, Anna.
그래. 좋은 지적이야. 안나.

OLAF
올라프
I feel better. **You're such a good listener.** [4]
기분이 나아졌어. 넌 참 남의 이야기를 잘 들어주는구나.

❶ But what I mean is, I'm sensing rising anger in me.
그런데 내 말은 내 안에서 끓어오르는 분노가 느껴진다는 거야.

문장의 시작을 What I mean is, 라고 하면 '그러니까 내 말은'이라는 뜻인데, 형식은 〈What I mean is that + 주어 + 동사〉 형식으로 써도 되고, that 대신 쉼표를 찍고 뒤에 문장을 넣어도 됩니다.

* **What I mean is,** this isn't really what I wanted. 그러니까 내 말은, 이건 내가 정말 원했던 게 아니란 거야.
* **What I mean is that** no one here is qualified for the job.
  그러니까 내 말은 여기 있는 사람 중에 이 직책에 적임자가 없다는 거야.

❷ You have every right to be very, very mad at her.　네가 언니에게 화가 나는 건 너무나도 당연한 일이야.

〈have every right to + 동사〉는 '~하는 것은 당연하다, 당연히 ~할 만하다, ~할 모든 권리가 있다'라는 뜻으로 쓰는 표현이에요. 여기에서 right은 '권리'라는 의미로도 쓰였다고 보면 되겠네요.

* You **have every right to** remain silent. 당신에겐 묵비권을 행사할 모든 권리가 있어요.
* You **have every right to** be proud of yourself. 넌 당연히 너 자신에 대해서 자랑스럽게 여길 만해.

❸ Everything's done nothing but change.　모든 것이 변하기만 했어.

문장에서 nothing but이 들어가면 '오직/그저 ~일뿐인'이라고 해석하면 돼요. 예를 들어, I have nothing but money. '난 그저 돈밖에 없다', This is nothing but junk. '이건 그저 쓰레기일 뿐이야' 이런 식으로 쓸 수 있답니다.

* We want **nothing but** the best for you. 우린 오직 너를 위해서는 최고만을 원할 뿐이야.
* He told me **nothing but** lies. 그는 내게 거짓말만 했다.

❹ You're such a good listener.　넌 참 남의 이야기를 잘 들어주는구나.

다른 사람의 말을 잘 들어주는 능력이 있는 사람을 a good listener라고 해요. 여기에서는 You're such a good ~을 패턴을 활용해서 '넌 정말 좋은/훌륭한 ~이다', '넌 정말 ~을 잘하는구나'라는 뜻의 문장을 만들어 볼게요. 형용사를 good 대신에 great, bad, terrible 등으로 바꿔서 활용 연습하는 것도 좋겠어요.　★ 영화 속 패턴 익히기

오늘 배운 장면에서 뽑은 핵심 패턴으로 다양한 표현을 만들어 보세요.

🎧 22-2.mp3

You are such a good ~

년 정말 좋은 ~이다/년 정말 ~을 잘한다.

Step 1 기본 패턴 연습하기

1 **You are such a good** cook. 넌 정말 요리를 잘하는구나.

2 **You are such a good** writer. 넌 정말 훌륭한 작가야.

3 **You are such a good** teacher. 당신은 정말 훌륭한 선생님이에요.

4 _______________________________. 넌 정말 훌륭한 배우야.

5 _______________________________. 넌 정말 춤을 잘 추는구나.

Step 2 패턴 응용하기 | 주어 + be동사 + such a + good/great/bad/terrible + 명사

1 **She is such a great** model. 그녀는 정말 대단한 모델이야.

2 **He is such a bad** student. 그는 정말 나쁜 학생이다.

3 **My mom is such a good** singer. 우리 엄마는 정말 노래를 잘해.

4 _______________________ golfer. 우리 아빠는 정말 골프를 못 쳐.

5 _______________ liar. 난 정말 나쁜 거짓말쟁이야.

Step 3 실생활에 적용하기

A Try some of these cookies I made this morning.

B Wow, this is amazing! 넌 진짜 훌륭한 제빵사야.

A Thanks for the compliment.

A 오늘 아침에 내가 만든 쿠키들인데 좀 먹어봐.

B 우와, 진짜 맛있다! You are such a good baker.

A 칭찬해 줘서 고마워.

정답 **Step 1** 4 You are such a good actor. 5 You are such a good dancer. **Step 2** 4 My dad is such a terrible 5 I'm such a bad

문제를 풀며 오늘 배운 표현을 완벽히 내 것으로 만드세요.

A | 영화 속 대화를 완성해 보세요.

OLAF Anna, this ❶______________, but I'm sensing ❷______________
______________. 안나, 좀 이상하게 들릴 수도 있겠지만, 끓어오르는 분노가 느껴져.

ANNA Well, I am angry, Olaf. She promised me we'd do this together! 그래, 내가 화났으니까, 올라프. 언니가 나와 함께하기로 약속했단 말야!

OLAF Ya-huh. But ❸______________, I'm sensing rising anger in me. 어-허. 그런데 내 말은 내 안에서 끓어오르는 분노가 느껴진다는 거야.

ANNA Wait, you're angry?! 잠깐, 네가 화가 났다고?!

OLAF I think so? Elsa ❹______________, too. And didn't even ❺______________. 아무래도 그런 것 같은데? 엘사가 나도 밀쳐냈다고. 게다가 작별 인사도 안 했잖아.

ANNA And you ❻______________ be very, very mad at her. 그래 네가 언니에게 화가 나는 건 너무나도 당연한 일이야.

OLAF And you said some things never change but since then everything's done ❼______________ change. 그리고 네가 어떤 것들은 절대 변하지 않는다고 했지만, 그때 이후로 모든 것이 변하기만 했어.

ANNA I know. But look! I'm still here ❽______________. 나도 알아. 하지만 봐! 난 여전히 네 손을 잡고 있잖아.

OLAF Yeah. That's ❾______________, Anna. 그래. 좋은 지적이야, 안나.

OLAF I feel better. ❿______________. 기분이 나아졌어. 넌 참 남의 이야기를 잘 들어주는구나.

B | 다음 빈칸을 채워 문장을 완성해 보세요.

1 넌 정말 요리를 잘하는구나.

______________ cook.

2 넌 정말 훌륭한 배우야.

______________.

3 넌 정말 춤을 잘 추는구나.

______________.

4 우리 아빠는 정말 골프를 못 쳐.

______________ golfer.

5 난 정말 나쁜 거짓말쟁이야.

______________ liar.

Show Yourself
네 모습을 보여 줘

엘사가 물의 정령인 워터호스와의 사투^{desperate struggle} 끝에 그를 다스리게 되었어요. 그 이후 워터호스는 그녀를 태우고 진실이 숨겨져 있는 곳, 아토할란을 향해 갈기를^{mane} 멋지게 휘날리며 질주하네요^{gallop}. 드디어 아토할란에 당도한 엘사는 감개무량하여^{overwhelmed with emotion} 노래를 부릅니다. Show Yourself! '네 모습을 보여 줘!'라고. 그동안 힘겨웠던 자신의 삶과 경험을 고백하며 이제서야 자신이 왜 이렇게 남들과 다른 특별한 삶을 살아야만 했는지를 알게 될 것 같다며 기대에 찬^{full of anticipation} 그녀의 마음을 노래하네요. 그런데, 과연 과거에 대한 진실을 알게 되면 모든 것이 해결될까요?

Warm Up! 오늘 배울 표현   오늘 등장하는 표현들입니다. 어떤 표현이 들어가야 할지 생각해 보세요.

* __________ **I'VE BEEN TORN.** 평생 동안 난 고통스러웠지.

* __________ **THE REASON I WAS BORN?** 그 이유가 내가 태어난 이유일 수도 있을까?

* ________________________. 난 항상 남들과 달랐어.

* ________________. 난 더 이상 떨고 있지 않아.

ELSA
엘사

I'VE NEVER FELT SO CERTAIN
ALL MY LIFE I'VE BEEN TORN ❶
BUT I'M HERE FOR A REASON
COULD IT BE THE REASON I WAS BORN? ❷

이렇게까지 확신이 있던 적은 없어
평생 동안 난 고통스러웠지
하지만 내가 여기에 온 건 이유가 있어서야
그 이유가 내가 태어난 이유일 수도 있을까?

ELSA
엘사

I HAVE ALWAYS BEEN SO DIFFERENT ❸
NORMAL RULES DO NOT APPLY
IS THIS THE DAY
ARE YOU THE WAY
I FINALLY FIND OUT WHY

난 항상 남들과 달랐어
평범한 규칙들은 적용되지 않지
오늘이 바로 그날인가
네가 바로 그 방법이니
내가 마침내 이유를 알게 되는

ELSA
엘사

SHOW YOURSELF
I'M NO LONGER TREMBLING ❹
HERE I AM, I'VE COME SO FAR
YOU ARE THE ANSWER I'VE WAITED FOR ALL OF MY LIFE
SHOW YOURSELF
LET ME SEE WHO YOU ARE

네 모습을 보여 줘
난 더 이상 떨고 있지 않아
여기 내가 왔어, 정말 먼 길을 왔다고
넌 내가 내 평생 지금껏 기다려왔던 그 답이야
네 모습을 보여 줘
네가 누군지 보게 해 줘

❶ ALL MY LIFE I'VE BEEN TORN. 평생 동안 난 고통스러웠지.

All my life는 '평생'이라는 뜻의 명사, 또는 '평생 동안'이라는 뜻의 형용사로 쓰는 표현인데요, 중간에 of를 넣어서 all of my life라고 하는 경우도 있어요. 둘 다 같은 의미랍니다.

* **All my life**, I've tried to prove myself. 내 평생, 나는 내 자신을 증명하려고 애썼다.
* I've wanted to go to Paris **all my life**. 내 평생 내내 난 파리를 가고 싶었어.

❷ COULD IT BE THE REASON I WAS BORN? 그 이유가 내가 태어난 이유일 수도 있을까?

Could it be?는 '(혹시) 그럴 수도 있을까?'라는 뜻으로 이해하면 좋아요. 예를 들어, 죽은 줄로만 알았던 엘사가 멀리서 말을 타고 달려오는 모습을 보며 안나가 마음속으로 Could it be? 라고 말했다면 '혹시 언니? 그럴 수도 있을까?'라는 뜻이 되는 거죠. Could it be 뒤에 다른 내용을 넣으면 '(혹시) ~일 수도 있을까?'라고 해석하면 된답니다.

* **Could it be** yours? 혹시 이거 네 것이니?
* **Could it be** right? 혹시 이게 맞을 수도 있을까?

❸ I HAVE ALWAYS BEEN SO DIFFERENT. 난 항상 남들과 달랐어.

I have always been ~은 '나는 항상 ~했어/였어'라는 뜻으로 쓸 수 있는 패턴 표현이에요. 예전부터 지금까지 죽 ~을 해왔거나 ~한 상태였다는 것을 말할 때 쓴답니다. 먼저 주어를 I로 해서 패턴 문장을 연습하고, 그다음엔 주어를 바꿔가면서 더 활용해 볼게요. ★영화 속 패턴 익히기

❹ I'M NO LONGER TREMBLING. 난 더 이상 떨고 있지 않아.

〈be동사 + no longer〉는 '더 이상 ~이 아닌', '이미 ~이 아닌'이라는 뜻으로 쓰이는 표현이에요. 이 표현을 not any longer로 대체해서 쓸 수도 있어요. 예를 들어, 위의 문장은 I'm not trembling any longer. 이렇게 바꿀 수도 있답니다.

* Wendy **is no longer** working with us. 웬디는 더 이상 우리와 함께 일하지 않아.
* Vince **is no longer** my friend. 빈스는 이제 더 이상 내 친구가 아냐.

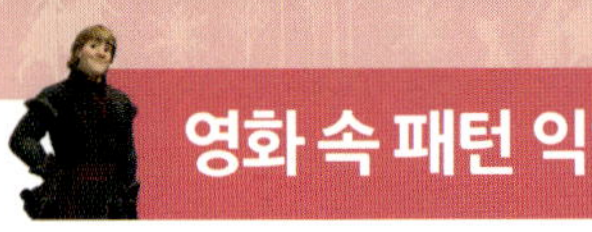

오늘 배운 장면에서 뽑은 핵심 패턴으로 다양한 표현을 만들어 보세요.

🎧 23-2.mp3

I have always been ~

난 항상 ~했어/였어.

Step 1 기본 패턴 연습하기

1 **I have always been** in love with you. 난 항상 너를 사랑해 왔어.

2 **I have always been** passionate about music. 난 항상 음악에 대한 열정이 있었어.

3 **I have always been** interested in Psychology. 난 항상 심리학에 관심이 있었어.

4 .... the responsible one. 난 항상 책임지는 사람이었다.

5 .... of the dark. 난 항상 어둠이 두려웠어.

Step 2 패턴 응용하기 | 주어 + have/has always been ~

1 Frank **has always been** a positive person. 프랭크는 항상 긍정적인 사람이었어.

2 Cindy **has always been** excited to try new things. 신디는 항상 새로운 것을 시도하는데 즐거워 했어.

3 They **have always been** together. 그들은 항상 함께였어.

4 .... friends. 우리는 항상 친구였어.

5 .... a little different from your peers. 넌 항상 네 또래와 달랐어.

Step 3 실생활에 적용하기

A What do you do for a living?

B I'm a fashion designer.

A Really? 저도 항상 패션에 관심이 많았거든요.

A 당신은 무슨 일을 하시나요?

B 저는 패션 디자이너예요.

A 정말이요? I've always been interested in fashion myself.

정답   Step 1 **4** I have always been **5** I have always been scared   Step 2 **4** We have always been **5** You have always been

120

확인학습

문제를 풀며 오늘 배운 표현을 완벽히 내 것으로 만드세요.

A | 영화 속 대화를 완성해 보세요.

ELSA I'VE NEVER ❶________________. ❷________________
I'VE BEEN TORN. BUT I'M HERE FOR A REASON.
❸________________ THE REASON ❹________________?

이렇게까지 확신이 있던 적은 없어. 평생 동안 난 고통스러웠지. 하지만 내가 여기에 온 건 이유가 있어서야.
그 이유가 내가 태어난 이유일 수도 있을까?

ELSA ❺________________________________.
NORMAL RULES ❻________________. IS ❼________________
________________. ARE YOU THE WAY. I FINALLY ❽________________
________________. 난 항상 남들과 달랐어. 평범한 규칙들은 적용되지 않지. 오늘이 바로 그날인가.
네가 바로 그 방법이니. 내가 마침내 이유를 알게 되는.

ELSA SHOW YOURSELF. ❾________________________________.
HERE I AM, I'VE COME SO FAR. YOU ARE THE ANSWER
❿________________ ALL OF MY LIFE. SHOW YOURSELF.
LET ME SEE WHO YOU ARE. 네 모습을 보여 줘. 난 더 이상 떨고 있지 않아. 여기
내가 왔어. 정말 먼 길을 왔다고. 넌 내가 내 평생 지금껏 기다려왔던 그 답이야. 네 모습을 보여 줘. 네가
누군지 보게 해 줘.

정답 A

❶ FELT SO CERTAIN
❷ ALL MY LIFE
❸ COULD IT BE
❹ I WAS BORN
❺ I HAVE ALWAYS BEEN SO DIFFERENT
❻ DO NOT APPLY
❼ THIS THE DAY
❽ FIND OUT WHY
❾ I'M NO LONGER TREMBLING
❿ I'VE WAITED FOR

B | 다음 빈칸을 채워 문장을 완성해 보세요.

1 난 항상 심리학에 관심이 있었어.
________________ interested in Psychology.

2 난 항상 책임지는 사람이었다.
________________ the responsible one.

3 난 항상 어둠이 두려웠어.
________________ of the dark.

4 우리는 항상 친구였어.
________________ friends.

5 넌 항상 네 또래와 달랐어.
________________ a little different from your peers.

정답 B

1 I have always been
2 I have always been
3 I have always been scared
4 We have always been
5 You have always been

Fear Is What Can't Be Trusted

신뢰할 수 없는 건 바로 두려움

과거의 진실에 한 걸음씩 다가갈수록 더 두려워지는^{be afraid of} 것은 왜일까요? 엘사는 할아버지인 루나드 왕이 노덜드라 족을 위해 호의적으로^{friendly} 댐을 건설해 줬지만, 그 이면에는 검은 속셈이^{hidden intention} 있었던 거죠. 노덜드라 인은 마법을 믿고 따르는^{follow} 민족이기 때문에 그들을 절대 믿을 수 없다는^{never trust} 생각이었습니다. 마법을 쓰는 엘사의 입장에서 마법을 부정하는^{deny} 할아버지의 모습은 충격적이고 슬플 따름입니다.

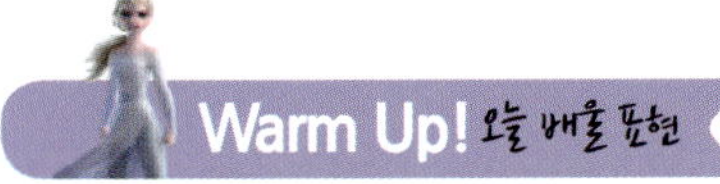

Warm Up! 오늘 배울 표현

오늘 등장하는 표현들입니다. 어떤 표현이 들어가야 할지 생각해 보세요.

* _______________________ **not to trust them.**   그들을 믿지 못할 이유가 전혀 없습니다.

* **Magic makes people feel too** _______________.   마법은 사람들을 자신이 너무 권리가 많다고 느끼게 하지.

* _______________________.   마법은 그렇게 하지 않아요.

* **Fear is** _______________.   믿을 수 없는 건 두려움이죠.

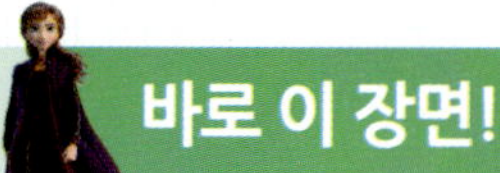

오디오 파일을 듣고 3번 따라 말해보세요.　　　　　　🎧 24-1.mp3

GUARD 경호원	King Runeard, I'm sorry, I don't understand. 루나드 왕, 죄송하지만, 전 이해되지 않군요.
ELSA 엘사	Grandfather— 할아버지—
KING RUNEARD 루나드 왕	We bring Arendelle's full guard. 아렌델의 모든 경비 전력을 데려올 걸세.
GUARD 경호원	But **they have given us no reason** not to trust them.❶ 하지만 그들을 믿지 못할 이유가 전혀 없습니다.
KING RUNEARD 루나드 왕	The Northuldra follow magic, which means we can never trust them. 노덜드라는 마법을 믿네. 그 말은 우리가 그들을 절대 믿을 수 없다는 뜻이지.
ELSA 엘사	Grandfather? 할아버지?
KING RUNEARD 루나드 왕	Magic makes people feel too powerful, too **entitled**, it makes them think they can defy the will of a King.❷ 마법은 사람들을 자신이 너무 강하다고 느끼게 하고, 권리가 많다고 느끼게 하고, 결국 그것은 그들에게 왕의 뜻을 거역해도 좋다고 생각하게 만들지.
ELSA 엘사	**That is not what magic does.**❸ That's just your fear. Fear is **what can't be trusted.**❹ 마법은 그렇게 하지 않아요. 그건 당신의 두려움일 뿐이에요. 믿을 수 없는 건 두려움이죠.

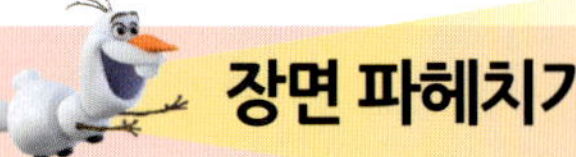

장면 파헤치기

구문 설명과 예문으로 이 장면의 핵심 표현을 완벽히 이해하세요.

❶ They have given us no reason not to trust them. 그들을 믿지 못할 이유가 전혀 없습니다.

〈주어 + have given someone no reason to + 동사〉는 '~가 ~에게 ~할 만한 그 어떠한 이유도 제공하지 않았다'는 뜻인데, 다소 복잡한 표현이라서 이해하기 쉽게 의역하면 '~을 할 만한 이유가 전혀 없다'는 뜻이 된답니다.

* You **have given me no reason** to trust you. 내가 너를 믿을 만한 이유가 전혀 없어.
* Isabelle **has given me no reason** to expect anything from her.
  이사벨에게 뭔가를 기대할 만한 이유가 전혀 없다.

❷ Magic makes people feel too entitled. 마법은 사람들을 자신이 너무 권리가 많다고 느끼게 하지.

entitle은 '자격/권리를 주다'라는 뜻의 동사예요. 그러므로, 위에서 쓰인 feel entitled는 '권리/자격이 있다고 느끼다'라는 의미가 되겠네요. 주로 〈be동사 + entitled to〉 형식으로 쓰이는데, 이것은 '~할 자격/권리가 있다'라는 의미랍니다.

* We are **entitled** to our own opinions. 우리에겐 우리 자신의 의견을 가질 권리가 있다.
* I am **entitled** to ask you questions. 난 너에게 질문을 할 권리가 있어.

❸ That is not what magic does. 마법은 그렇게 하지 않아요.

〈That is not what + 주어 + 동사〉는 '그것은 ~가 ~하는 것이 아니다'라는 의미로 쓸 수 있는 표현이에요. 예를 들어, That is not what I need. '그것은 내가 필요로 하는 것이 아니다' 이런 식으로 쓸 수 있어요. 그리고, not을 빼고 〈That is what + 주어 + 동사〉 형식으로 만들면 '그것은 ~가 ~한 것이다'라고 해석하면 되지요. 패턴 문장으로 더 자세히 살펴볼게요.

★영화 속 패턴 익히기

❹ Fear is what can't be trusted. 믿을 수 없는 건 두려움이죠.

〈what can't be + 과거분사〉는 '~할 수 없는 것'이라는 뜻이에요. 문장의 맨 앞에 나와 주어 역할을 할 수도 있고 맨 뒤로 들어가서 목적어 역할을 할 수도 있답니다. 예를 들어, 위의 문장의 순서를 바꿔서 What can't be trusted is fear. 이렇게 만들 수도 있다는 것이에요.

* We offer **what can't be learned** in school. 우리는 학교에서는 배울 수 없는 것을 제공합니다.
* Try to reuse **what can't be recycled**! 재활용할 수 없는 것을 재사용하도록 노력해라!

오늘 배운 장면에서 뽑은 핵심 패턴으로 다양한 표현을 만들어 보세요.

♫ 24-2.mp3

That is not what + 주어 + 동사

그것은 ~가 ~하는 것이 아니다.

Step 1 기본 패턴 연습하기

1 **That is not what** I want. 그건 내가 원하는 것이 아니야.

2 **That is not what** he said. 그건 그가 한 말이 아니야.

3 **That is not what** you told me the other day. 그건 지난번에 네가 나에게 했던 말이 아니야.

4 ______ expected from you. 그건 우리가 너에게 기대했던 것이 아니야.

5 ______ care about. 그건 그들이 관심 있어 하는 것이 아니야.

Step 2 패턴 응용하기 | That's what ~

1 **That's what** I like. 그게 내가 좋아하는 거야.

2 **That's what** you were supposed to do from the beginning. 그게 애초에 네가 해야 했던 거였어.

3 **That's what** he needed. 그게 그가 필요로 했던 것이야.

4 ______ wanted for your birthday. 그게 너가 네 생일에 원했던 거였구나.

5 ______ deserves. 그게 그녀가 마땅히 당해야 하는 일이야.

Step 3 실생활에 적용하기

A Here's the pizza you ordered.

B 그건 제가 주문한 게 아닌데요.

A No? I'm really sorry. Let me go check on it really quick.

A 주문하신 피자입니다.

B That is not what I ordered.

A 아니라고요? 죄송해요. 당장 가서 확인해 볼게요.

정답 **Step 1** 4 That is not what we 5 That is not what they **Step 2** 4 That's what you 5 That's what she

문제를 풀며 오늘 배운 표현을 완벽히 내 것으로 만드세요.

A | 영화 속 대화를 완성해 보세요.

GUARD King Runeard, I'm sorry, ❶ ________________________________.
루나드 왕, 죄송하지만, 전 이해되지 않군요.

ELSA Grandfather— 할아버지—

KING RUNEARD We ❷ ____________ Arendelle's full guard.
아렌델의 모든 경비 전력을 데려올 걸세.

GUARD But ❸ ____________________________ not to trust them. 하지만 그들을 믿지 못할 이유가 전혀 없습니다.

KING RUNEARD The Northuldra follow magic, ❹ ____________________ we can never trust them.
노덜드라는 마법을 믿네, 그 말은 우리가 그들을 절대 믿을 수 없다는 뜻이지.

ELSA Grandfather? 할아버지?

KING RUNEARD ❺ ____________________ feel too powerful, too ❻ ____________, it makes them think they can ❼ ____________ of a King.
마법은 사람들을 자신이 너무 강하다고 느끼게 하고, 권리가 많다고 느끼게 하고, 결국 그것은 그들에게 왕의 뜻을 거역해도 좋다고 생각하게 만들지.

ELSA ❽ ____________________________. That's ❾ ____________. Fear is ❿ ____________________. 마법은 그렇게 하지 않아요. 그건 당신의 두려움일 뿐이에요. 믿을 수 없는 건 두려움이죠.

B | 다음 빈칸을 채워 문장을 완성해 보세요.

1 그건 지난번에 네가 나에게 했던 말이 아니야.
________________ you told me the other day.

2 그건 우리가 너에게 기대했던 것이 아니야.
________________ expected from you.

3 그건 그들이 관심 있어 하는 것이 아니야.
________________ care about.

4 그게 너가 네 생일에 원했던 거였구나.
________________ wanted for your birthday.

5 그게 그녀가 마땅히 당해야 하는 일이야.
________________ deserves.

The Truth About the Past

과거에 대한 진실

안나와 올라프는 동굴 깊숙한 곳에서 과거에 대한 진실을 알게 됩니다. 그리고 엘사가 그 진실을 먼저 알게 되었다는 사실도 깨달았네요. 그 진실은 할아버지가 당신의 두려움과 욕심 때문에 아무 죄 없는 노덜드라의 지도자를 무방비 상태에서[in a defenseless state] 공격했다는 것이죠. 얼음 조각상이 그 당시의 상황을 모두 보여주네요. 안나는 이제 자신이 무엇을 해야 할지 알게 되었어요. 이 모든 재앙의[calamity] 원인인[cause] 그 댐을 없애야만 과거의 죄를 씻을 수 있다는 결론에 이르렀습니다[came to a conclusion]. 댐을 부숴야만 하는데, 그것을 어떻게 부술 수 있을까요? 그리고 그 댐을 부수면 물이 쏟아져 댐의 아래쪽에 있는 아렌델 왕국을 모두 휩쓸어 버릴 텐데[wipe away] 그건 어떻게 해야 하죠?

Warm Up! 오늘 배울 표현

오늘 등장하는 표현들입니다. 어떤 표현이 들어가야 할지 생각해 보세요.

* ________________ everything Arendelle stands for.
그건 아렌델의 가치관에 완전히 어긋나는 거잖아.

* I know what we have to do to ________________. 잘못된 일을 바로잡기 위해 우리가 무엇을 해야 할지 알겠어.

* ________________ everyone was forced out. 그래서 모두가 다 쫓겨났던 거야.

* To protect them from ________________. 꼭 해야만 할 일로부터 그들을 보호하기 위해서.

ANNA
안나
Elsa's found it.
엘사가 찾았어.

OLAF
올라프
What is it?
뭘 말이야?

ANNA
안나
The truth about the past.
과거에 대한 진실.

ANNA
안나
That's my grandfather, attacking the Northuldra leader, who wields no weapon. The dam wasn't a gift of peace. It was a trick.
저건 우리 할아버지야. 무기를 들고 있지 않은 노덜드라 족장을 공격하고 있어. 댐은 평화의 선물이 아니었어. 그건 속임수였어.

OLAF
올라프
But **that goes against** everything Arendelle stands for.❶
하지만 그건 아렌델의 가치관에 완전히 어긋나는 거잖아.

ANNA
안나
It does, doesn't it?
그렇지, 안 그러니?

ANNA
안나
I know how to free the forest. I know what we have to do to **set things right**.❷
어떻게 하면 숲을 해방시킬 수 있을지 알겠어. 잘못된 일을 바로잡기 위해 우리가 무엇을 해야 할지 알겠어.

OLAF
올라프
Why do you say that so sadly?
그런데 그 말을 왜 그렇게 슬프게 하는 거니?

ANNA
안나
We have to break the dam.
댐을 부숴야 해.

OLAF
올라프
But Arendelle will be flooded.
그러면 아렌델이 홍수에 잠길 텐데.

ANNA
안나
That's why everyone was forced out.❸ To protect them from **what has to be done**.❹
그래서 모두가 다 쫓겨났던 거야. 꼭 해야만 할 일로부터 그들을 보호하기 위해서.

❶ That goes against everything Arendelle stands for. 그건 아렌델의 가치관에 완전히 어긋나는 거잖아.

go against something은 '~에 위배되다/맞지 않다'는 뜻으로, 자신이 믿고 있는 가치관, 원칙, 믿음 같은 것들에 어긋나거나 상반된다고 말할 때 자주 쓰이는 표현이에요.

* **That goes against** my conscience. 그건 내 양심에 어긋난다.
* I won't do anything **that goes against** my values. 난 내 가치관에 위배되는 그 어떤 일도 하지 않을 거야.

❷ I know what we have to do to set things right. 잘못된 일을 바로잡기 위해 우리가 무엇을 해야 할지 알겠어.

set something right는 '바로잡다, 고치다'라는 뜻이에요. 동사만 바꿔서, make things right, put things right 등으로 표현해도 같은 뜻이랍니다.

* Let's **set things right** between us. 우리의 사이에 틀어진 일을 바로잡자.
* That was my mistake. I'll try to **set it right**. 그건 내 실수였어. 내가 바로잡도록 할게.

❸ That's why everyone was forced out. 그래서 모두가 다 쫓겨났던 거야.

〈be동사 + forced out〉은 '추방당하다, 밀려나가다, 내몰리다'라는 뜻이에요. 여기에서 강조하고 싶은 부분은 That's why인데요. '그게 바로 ~한 이유야', '그래서 ~한 거야'라는 의미로 활용할 수 있는 표현이에요. 이 표현과 함께, not을 넣어서 That's not why '그건 ~한 이유가 아니야', '그것 때문에 ~한 게 아니야' 등의 의미를 지닌 부정문으로도 패턴 문장을 만들어 볼게요.

★영화 속 패턴 익히기

❹ To protect them from what has to be done. 꼭 해야만 할 일로부터 그들을 보호하기 위해서.

What has to be done은 '꼭 해야만 할 일'이라는 의미로 문장에서 주어 역할을 할 수도 있고 목적어나 보어 역할을 할 수도 있어요.

* This is **what has to be done**. 이건 꼭 해야만 하는 일이야.
* **What has to be done** has to be done. 꼭 해야만 하는 일은 반드시 해야만 한다.

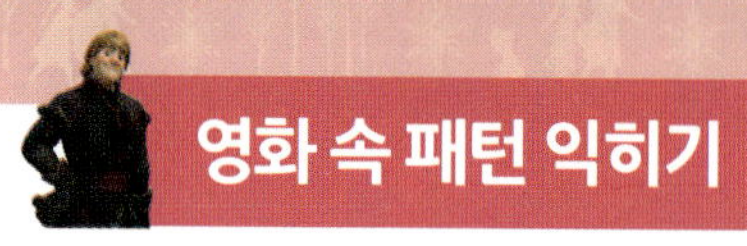

오늘 배운 장면에서 뽑은 핵심 패턴으로 다양한 표현을 만들어 보세요.

🎧 25-2.mp3

That's why ~

그게 바로 ~한 이유야/그래서 ~한 거야.

Step 1 기본 패턴 연습하기

1 **That's why** I told you not to hang out with Matthew. 그래서 내가 매튜와는 어울리지 말라고 한 거야.

2 **That's why** Adam was avoiding me. 그래서 아담이 나를 피한 거로구나.

3 **That's why** Chris looks so exhausted. 그래서 크리스가 그렇게 지쳐 보였던 거로구나.

4 ______________________________ show up at work. 그래서 그가 직장에 안 나왔던 거로구나.

5 ______________________________ so excited today. 그래서 오늘 네가 이렇게 신이 난 거로구나.

Step 2 패턴 응용하기 | That's not why ~

1 **That's not why** I'm here. 난 그것 때문에 온 게 아냐.

2 **That's not why** we broke up. 그것 때문에 우리가 헤어진 게 아냐.

3 **That's not why** he called me last night. 그가 어젯밤에 내게 전화한 건 그것 때문이 아니야.

4 ______________________________ was upset. 그것 때문에 그녀가 속상해했던 게 아니야.

5 ______________________________ lost. 그것 때문에 그들이 진 게 아니야.

Step 3 실생활에 적용하기

A I need to work late tonight.

B 또?

A It's just that this project is important to me.

A 나 오늘 밤 늦게까지 일해야 돼.

B Again?

A 그냥 이 프로젝트가 내게 중요해서 그래.

정답 Step 1 4 That's why he didn't 5 That's why you are Step 2 4 That's not why she 5 That's not why they

확인학습

문제를 풀며 오늘 배운 표현을 완벽히 내 것으로 만드세요.

A | 영화 속 대화를 완성해 보세요.

ANNA　Elsa's ❶ _____________________. 엘사가 찾았어.

OLAF　What is it? 뭘 말이야?

ANNA　The ❷ _____________________. 과거에 대한 진실.

ANNA　That's my grandfather, attacking the Northuldra leader, who ❸ _____________________. The dam wasn't a gift of peace. ❹ _____________________. 저건 우리 할아버지야. 무기를 들고 있지 않은 노덜드라 족장을 공격하고 있어. 댐은 평화의 선물이 아니었어. 그건 속임수였어.

OLAF　But ❺ _____________________ everything Arendelle stands for. 하지만 그건 아렌델의 가치관에 완전히 어긋나는 거잖아.

ANNA　It does, doesn't it? 그렇지, 안 그러니?

ANNA　I know how to ❻ _____________________. I know what we have to do to ❼ _____________________. 어떻게 하면 숲을 해방시킬 수 있을지 알겠어. 잘못된 일을 바로잡기 위해 우리가 무엇을 해야 할지 알겠어.

OLAF　Why do you say that so sadly? 그런데 그 말을 왜 그렇게 슬프게 하는 거니?

ANNA　We have to break the dam. 댐을 부숴야 해.

OLAF　But Arendelle ❽ _____________________. 그러면 아렌델이 홍수에 잠길 텐데.

ANNA　❾ _____________________ everyone was forced out. To protect them from ❿ _____________________. 그래서 모두가 다 쫓겨났던 거야. 꼭 해야만 할 일로부터 그들을 보호하기 위해서.

B | 다음 빈칸을 채워 문장을 완성해 보세요.

1 그래서 아담이 나를 피한 거로구나.
　_____________________ Adam was avoiding me.

2 그래서 그가 직장에 안 나왔던 거로구나.
　_____________________ show up at work.

3 그래서 오늘 네가 이렇게 신이 난 거로구나.
　_____________________ so excited today.

4 그것 때문에 그녀가 속상해했던 게 아니야.
　_____________________ was upset.

5 그것 때문에 그들이 진 게 아니야.
　_____________________ lost.

131

Do the Next Right Thing

그다음 옳은 일을 해야 해

엘사의 마법의 힘이 사라지면서 그녀의 마법의 힘으로 만들어진 올라프는 다시 눈송이가^{snowflakes} 되어 사라져 버렸네요. 안나 옆에는 늘 든든한 힘이 되어 주던 엘사도 없고 재간둥이 올라프도 더 이상 없습니다. 절망에 빠진^{fall into despair} 안나는 일어날 기운조차 없어요^{can't find the strength}. 하지만 마음을 다시 잡고 일어납니다. 희망이 사라졌지만^{hope is gone} 포기하지 않고 나아가^{go on} 다음으로 옳은 일을 하겠다고요^{do the next right thing}.

Warm Up! 오늘 배울 표현

오늘 등장하는 표현들입니다. 어떤 표현이 들어가야 할지 생각해 보세요.

* **THIS IS** ________. 감각이 없어.

* ________ **SUCCUMB.** 난 이제 굴복할 준비가 되었어.

* ________. 난 늘 너를 따라다니지.

* ________. 다음으로 옳은 일을 해라.

ANNA
안나

I'VE SEEN DARK BEFORE
BUT NOT LIKE THIS
THIS IS COLD
THIS IS EMPTY
THIS IS **NUMB**❶
THE LIFE I KNEW IS OVER
THE LIGHTS ARE OUT
HELLO DARKNESS, **I'M READY TO** SUCCUMB❷

난 전에 어둠을 본 적이 있지
하지만 이런 식은 아니었어
추워
공허해
감각이 없어
내가 알던 삶은 끝났어
불빛이 사라졌어
어둠아 안녕. 난 이제 굴복할 준비가 되었어

I FOLLOW YOU AROUND❸
I ALWAYS HAVE
BUT YOU'VE GONE TO A PLACE I CANNOT FIND
THIS GRIEF HAS A GRAVITY
IT PULLS ME DOWN
BUT A TINY VOICE WHISPERS IN MY MIND
YOU ARE LOST
HOPE IS GONE
BUT YOU MUST GO ON
AND **DO THE NEXT RIGHT THING**❹

난 늘 언니를 따라다니지
예전부터 늘 그래왔어
하지만 언니는 내가 찾을 수 없는 곳으로 사라졌어
이 슬픔엔 중력이 있어
나를 끌어내리네
하지만 작은 목소리가 내 귀에 속삭여
너는 길을 잃었다고
희망은 사라졌다고
하지만 포기하지 않고 앞으로 가야 하네
그리고 다음으로 옳은 일을 해야 하지

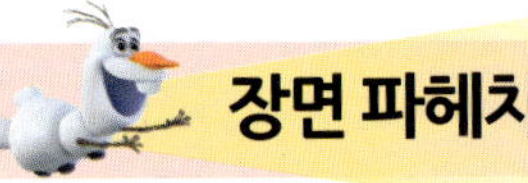

❶ THIS IS NUMB. 감각이 없어.

numb은 추위나 충돌로 인한 통증 등으로 신체 부위에 '감각이 없어진' 것을 표현할 때도 쓰고, 제대로 생각/반응을 못하고 '멍한' 상태를 표현할 때도 쓰는 형용사예요.

* My mouth is still **numb** after dental work. 치과 치료를 받았더니 입이 아직도 얼얼해.
* Tim is **numb** with shock. 팀은 충격으로 멍해졌다.

❷ I'M READY TO SUCCUMB. 난 이제 굴복할 준비가 되었어.

〈I'm ready to + 동사〉는 '난 ~할 준비가 됐다'는 뜻으로 쓸 수 있는 표현이에요. 물리적으로 준비가 되었을 때도 쓸 수 있고 정신적으로 준비가 되었다고 할 때도 쓸 수 있어요. 여기에서는 I'm ready to와 함께 I'm ready for도 패턴으로 연습해 볼 건데, I'm ready to 뒤에는 동사가 따라오지만, I'm ready for 뒤에는 명사구가 따라오는 것 기억하세요.

★영화 속 패턴 익히기

❸ I FOLLOW YOU AROUND. 난 늘 너를 따라다니지.

follow someone around는 '~를 졸졸 따라다니다'라는 의미예요. 귀찮을 정도로 내내, 주야장천, 끊임없이 뒤에/옆에 붙어서 따라다니는 모습을 연상하면 돼요.

* Please, stop **following me around**! 제발 나를 좀 그만 따라다녀!
* My puppy **follows me around** everywhere. 내 강아지는 어딜 가든 나를 졸졸 따라다녀.

❹ DO THE NEXT RIGHT THING. 다음으로 옳은 일을 해라.

the right thing은 '옳은 일'이고, '옳은 일을 하라'고 할 때는 do the right thing 이렇게 말해요. 위에서 나오는 the next right thing은 '다음으로 옳은 일'이라고 번역했는데, 그것은 '옳은 일'을 한 후, 그다음에 또다시 '옳은 일'을 찾는 것을 뜻해요. 미래가 불확실할 때는 작은 일이라도 '옳은 일'을 하고 다시 '옳은 일'을 하다 보면 어느덧 밝은 미래가 오지 않을까요?

* What's **the right thing to do**? 과연 옳은 일은 무엇일까?
* He always **does the right thing** even when no one is looking.
  아무도 보지 않을 때도 그는 항상 옳은 일을 한다.

🎧 26-2.mp3

I'm ready to + 동사

난 ~할 준비가 됐다.

Step 1 기본 패턴 연습하기

1 **I'm ready to** go. 난 갈 준비가 됐다.

2 **I'm ready to** take some action. 난 행동에 옮길 준비가 됐다.

3 **I'm ready to** take it to the next level. 난 한 단계 더 업그레이드할 준비가 됐어.

4 ___________________________ a chance. 난 기회를 잡을 준비가 됐어.

5 ___________________________ a mom. 난 엄마가 될 준비가 됐다.

Step 2 패턴 응용하기 | I'm ready for + 명사구

1 **I'm ready for** a change. 난 변화할 준비가 됐어.

2 **I'm ready for** Christmas. 난 크리스마스를 맞을 준비가 됐다.

3 **I'm ready for** anything. 난 그 무엇에 대해서도 준비가 됐어.

4 ___________________________ a relationship. 난 이성 관계를 시작할 준비가 됐어.

5 ___________________________ a new adventure. 난 새로운 모험을 할 준비가 됐다.

Step 3 실생활에 적용하기

A 내가 결혼할 준비가 되었는지 모르겠어.

B What? The wedding is in a week!

A I know. I can't help having second thoughts.

A I don't know if I'm ready to get married.

B 뭐라고? 이제 일주일만 있으면 결혼식이야!

A 나도 알아. 다시 생각하지 않을 수 없어.

정답 **Step 1** 4 I'm ready to take 5 I'm ready to be **Step 2** 4 I'm ready for 5 I'm ready for

A | 영화 속 대화를 완성해 보세요.

ANNA

I'VE ❶______________. BUT ❷______________. THIS IS COLD. THIS IS EMPTY. THIS IS ❸______________. THE ❹______________. THE LIGHTS ARE OUT. HELLO DARKNESS, I'M ❺______________ SUCCUMB.

난 전에 어둠을 본 적이 있지. 하지만 이런 식은 아니었어. 추워. 공허해. 감각이 없어. 내가 알던 삶은 끝났어. 불빛이 사라졌어. 어둠아 안녕, 난 이제 굴복할 준비가 되었어.

❻______________. I ALWAYS HAVE. BUT YOU'VE GONE TO A PLACE I CANNOT FIND. THIS GRIEF ❼______________. IT PULLS ME DOWN. BUT A TINY VOICE WHISPERS ❽______________. YOU ARE LOST. ❾______________. BUT YOU MUST GO ON. AND ❿______________.

난 늘 언니를 따라다니지. 예전부터 늘 그래왔어. 하지만 언니는 내가 찾을 수 없는 곳으로 사라졌어. 이 슬픔엔 중력이 있어. 나를 끌어내리네. 하지만 작은 목소리가 내 귀에 속삭여. 너는 길을 잃었다고. 희망은 사라졌다고. 하지만 포기하지 않고 앞으로 가야 하네. 그리고 다음으로 옳은 일을 해야 하지.

정답 A

❶ SEEN DARK BEFORE
❷ NOT LIKE THIS
❸ NUMB
❹ LIFE I KNEW IS OVER
❺ READY TO
❻ I FOLLOW YOU AROUND
❼ HAS A GRAVITY
❽ IN MY MIND
❾ HOPE IS GONE
❿ DO THE NEXT RIGHT THING

B | 다음 빈칸을 채워 문장을 완성해 보세요.

1 난 한 단계 더 업그레이드할 준비가 됐어.

______________ take it to the next level.

2 난 기회를 잡을 준비가 됐어.

______________ a chance.

3 난 엄마가 될 준비가 됐다.

______________ a mom.

4 난 이성 관계를 시작할 준비가 됐어.

______________ a relationship.

5 난 새로운 모험을 할 준비가 됐다.

______________ a new adventure.

정답 B

1 I'm ready to
2 I'm ready to take
3 I'm ready to be
4 I'm ready for
5 I'm ready for

The Dam Must Fall

댐이 무너져야만 한다

마법의 숲을 고립시키는 댐을 무너뜨려야만 숲을 해방시킬 수^{free the forest} 있다고 굳게 믿고 있는 안나. 숲이 해방되어야만 아렌델도 과거의 굴레에서 벗어날 수 있을 테고요^{free from the bonds of the past}. 안나는 이 일에 대한 투철한 사명감으로^{sense of mission} 바위 거인들을 끌어들입니다^{attract}. 거인들의 성질을 돋우어서 그들이 거대한 바위를 던져 댐을 무너뜨릴 수 있도록 그쪽으로 유인하는 작전이죠. 바위가 마구 날아오는 위험천만한^{extremely dangerous} 상황이지만 우리의 용감한 안나는 매티어스 중위의 도움을 받고 댐 위로 올라가 계속 거인들을 자극합니다^{provoke}.

Warm Up! 오늘 배울 표현

오늘 등장하는 표현들입니다. 어떤 표현이 들어가야 할지 생각해 보세요.

* ___________. 전하.

* The dam ___________. 댐을 무너뜨려야만 해요.

* But we have sworn to protect Arendelle ___________.
하지만 우린 무슨 일이 있어도 아렌델을 수호하기로 맹세했어요.

* Arendelle has no future until we ___________. 이 일을 바로잡지 않으면 아렌델의 미래는 없어요.

ANNA
안나

Lieutenant Mattias.

매티어스 중위님.

MATTIAS
매티어스

Your Highness?❶ What are you doing?

공주님? 여기서 뭐 하시는 겁니까?

ANNA
안나

The dam **must fall**.❷ It's the only way to break the mist and free the forest.

댐을 무너뜨려야만 해요. 그게 안개를 걷히게 해서 숲을 해방시킬 수 있는 유일한 방법이에요.

MATTIAS
매티어스

But we have sworn to protect Arendelle **at all costs**.❸

하지만 우린 무슨 일이 있어도 아렌델을 수호하기로 맹세했어요.

ANNA
안나

Arendelle has no future until we **make this right**.❹ King Runeard betrayed everyone.

이 일을 바로잡지 않으면 아렌델의 미래는 없어요. 루나드 왕이 모두를 배신했다고요.

MATTIAS
매티어스

How do you know that?

그걸 어떻게 아시죠?

ANNA
안나

My sister gave her life for the truth. Please before we lose anyone else.

우리 언니는 진실을 위해 목숨을 바쳤어요. 제발 또다시 누군가를 잃게 되기 전에 부탁드려요.

장면 파헤치기

구문 설명과 예문으로 이 장면의 핵심 표현을 완벽히 이해하세요.

❶ Your Highness. 전하.

Your Highness는 왕족에 대한 경칭으로 우리말로 '전하'와 비슷한 표현이에요. 왕족 중에서도 특히 공주나 왕자의 경우에는 Your Royal Highness라고 호칭을 쓰는 경우도 많답니다. 왕족인 상대방에게 직접 호칭을 쓰는 경우 이외에 그/그녀에 대해 간접적으로 표현할 경우에는 His/Her (Royal) Highness로 써요. 단어가 대문자로 시작하는 것도 함께 기억하세요.

* Please calm down, **Your Highness**. 제발 진정하십시오, 전하.
* I am pleased that **Her Royal Highness** will be back soon. 전하께서 곧 돌아오신다니 기쁘네.

❷ The dam must fall. 댐을 무너뜨려야만 해요.

여기에서 쓰인 fall은 그 의미가 단순히 '쓰러지다'라기 보다는 뭔가 오래도록 굳건하게 서 있는 것이 '무너지다, 허물어지다'라는 의미로 보는 것이 좋아요. 커다란 장벽, 강성한 국가나 왕조 등을 허물어뜨리는 것에 대해서 말할 때 must fall이라는 표현이 자주 쓰인답니다.

* Babylon **must fall**. 바빌론은 무너져야만 한다.
* The dynasty **must fall**. 그 왕조는 무너져야만 한다.

❸ But we have sworn to protect Arendelle at all costs.
하지만 우린 무슨 일이 있어도 아렌델을 수호하기로 맹세했어요.

at all cost(s)는 '어떤 희생을 치르더라도, 기어코, 무슨 수를 써서라도'라는 의미의 숙어예요. cost는 비용이라는 뜻이니, '모든 비용을 다 써서라도'라고 생각하면 의미를 유추하기 쉬울 거예요. 이 표현을 패턴 문장으로 연습해 볼 건데, 비슷한 형식과 의미를 가진 by all means '기꺼이, 부디, 꼭, 절대로, 어떤 일이 있더라도'도 함께 살펴볼게요.

★영화 속 패턴 익히기

❹ Arendelle has no future until we make this right. 이 일을 바로잡지 않으면 아렌델의 미래는 없어요.

make something right는 관계나 상황을 '바로잡다'는 의미로 쓰이는 숙어인데, 앞장에 나왔던 set something right와 같은 의미의 표현이에요.

* I need more time to **make things right**. 사태를 바로잡으려면 시간이 더 필요해.
* Why don't we try to find a way to **make it right**? 이 일을 바로잡기 위한 방법을 찾아보는 게 어떨까?

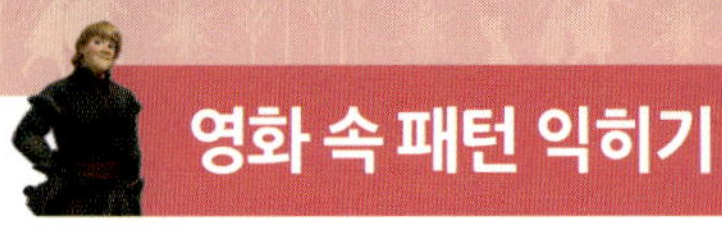

영화 속 패턴 익히기

오늘 배운 장면에서 뽑은 핵심 패턴으로 다양한 표현을 만들어 보세요.

🎧 27-2.mp3

at all cost(s)　　어떤 희생을 치르더라도, 무슨 일이 있어도

Step 1　기본 패턴 연습하기

1 We have to avoid war **at all costs**. 우리는 무슨 일이 있어도 전쟁은 피해야만 한다.

2 I'm going to get that job **at all costs**. 어떤 희생을 치르더라도 그 직장에 꼭 취직하고 말 거야.

3 Democracy must be maintained **at all costs**. 무슨 일이 있어도 민주주의는 꼭 수호해야만 한다.

4 Save my dog ________________! 어떤 희생을 감내하더라도 내 강아지를 꼭 구해라!

5 I intend to buy that house ________________. 나는 어떤 희생을 치르더라도 그 집은 꼭 사려고 한다.

Step 2　패턴 응용하기 ｜ by all means

1 I will try to be there **by all means**. 꼭 가려고 노력해 볼게.

2 **By all means**, I'd love to. 기꺼이, 그렇게 할게요.

3 It is **by all means** necessary. 이건 절대로 꼭 필요한 것이야.

4 ________________, come join us! 꼭 와서 우리와 함께해요!

5 We will help you ________________. 우리는 어떻게 해서든 너를 도울 거야.

Step 3　실생활에 적용하기

A 무슨 일이 있어도 이 시합은 꼭 이겨야 해.　　A We have to win this game at all costs.

B Absolutely!　　B 지당한 말씀!

A Let's go get them!　　A 어서 가서 박살을 내주자!

정답　Step 1　4 at all costs　5 at all costs　Step 2　4 By all means　5 by all means

문제를 풀며 오늘 배운 표현을 완벽히 내 것으로 만드세요.

A | 영화 속 대화를 완성해 보세요.

ANNA Lieutenant Mattias. 매티어스 중위님.

MATTIAS ❶ ____________________? What are you doing?
공주님? 여기서 뭐 하시는 겁니까?

ANNA The dam ❷ ____________________. It's the ❸ ____________________ ____________________ the mist and ❹ ____________________.
댐을 무너뜨려야만 해요. 그게 안개를 걷히게 해서 숲을 해방시킬 수 있는 유일한 방법이에요.

MATTIAS But we ❺ ____________________ to protect Arendelle ❻ ____________________.
하지만 우린 무슨 일이 있어도 아렌델을 수호하기로 맹세했어요.

ANNA Arendelle ❼ ____________________ until we ❽ ____________________. King Runeard ❾ ____________________.
이 일을 바로잡지 않으면 아렌델의 미래는 없어요. 루나드 왕이 모두를 배신했다고요.

MATTIAS How do you know that? 그걸 어떻게 아시죠?

ANNA My sister gave her life for the truth. Please before we ❿ ____________________.
우리 언니는 진실을 위해 목숨을 바쳤어요. 제발 또다시 누군가를 잃게 되기 전에 부탁드려요.

정답 A

❶ Your Highness
❷ must fall
❸ only way to break
❹ free the forest
❺ have sworn
❻ at all costs
❼ has no future
❽ make this right
❾ betrayed everyone
❿ lose anyone else

B | 다음 빈칸을 채워 문장을 완성해 보세요.

1 우리는 무슨 일이 있어도 전쟁은 피해야만 한다.
We have to avoid war ____________________.

2 어떤 희생을 감내하더라도 내 강아지를 꼭 구해라!
Save my dog ____________________!

3 나는 어떤 희생을 치르더라도 그 집은 꼭 사려고 한다.
I intend to buy that house ____________________.

4 꼭 와서 우리와 함께해요!
____________________, come join us!

5 우리는 어떻게 해서든 너를 도울 것이야.
We will help you ____________________.

정답 B

1 at all costs
2 at all costs
3 at all costs
4 By all means
5 by all means

A Bridge with Two Sides

양쪽으로 이루어진 다리

댐을 무너뜨리고 마법의 숲을 해방시킨 안나. 그런데, 댐이 무너지면서 거기 있던 물이 쏟아져 내려가며^{pour down} 아렌델을 덮치려^{sweep away} 합니다. 엄청난 양의 물이 아렌델을 덮치려는 바로 그 순간^{at the very moment} 엘사가 물의 정령을 타고 나타나 얼음 장벽을 만들어 그 엄청난^{tremendous} 양의 물을 막아내네요. 그녀 덕분에 아렌델은 상처하나 없이^{intact} 본래의 모습으로 돌아왔어요. 그리고, 다시 엘사를 만나게 된 안나는 언니가 다섯 번째 정령이었다는 사실을 알게 되지요. 엘사는 인간과 자연의 마법을 연결하는 다리 역할을 하는 다섯 번째 정령은 혼자가 아니라, 안나까지 포함한 두 명이라고 말하네요. 다리는 양쪽으로 이루어져 있으니 둘이 함께 있어야 다리가 연결된다는 것이에요.

Warm Up! 오늘 배울 표현

오늘 등장하는 표현들입니다. 어떤 표현이 들어가야 할지 생각해 보세요.

*   I'd lost you! 너를 잃은 줄 알았어!

* The spirits all agreed. Arendelle   stand with you.
  모든 정령들이 동의했어. 아렌델은 너와 함께 서 있을 자격이 있다고.

*   , for everyone. 넌 옳은 일을 했어, 모두를 위해.

* And we'll   this together. 그리고 앞으로도 계속 함께할 거고.

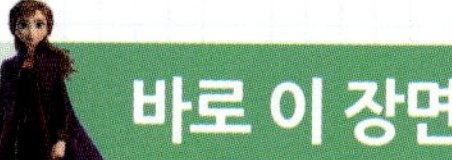

ANNA
안나
I thought I'd lost you!❶
언니를 잃은 줄 알았어!

ELSA
엘사
Lost me? You saved me. Again!
나를 잃었다고? 네가 나를 구했어. 또다시!

ANNA
안나
I did?
내가?

ELSA
엘사
And, Anna, Arendelle did not fall.
그리고, 안나, 아렌델은 무너지지 않았어.

ANNA
안나
It didn't?
안 무너졌다고?

ELSA
엘사
The spirits all agreed. Arendelle **deserves to** stand with you.❷
모든 정령들이 동의했어. 아렌델은 너와 함께 서 있을 자격이 있다고.

ANNA
안나
Me?
나?

ELSA
엘사
You did what was right, for everyone.❸
넌 옳은 일을 했어, 모두를 위해.

ANNA
안나
Did you find the fifth spirit?
다섯 번째 정령은 찾았어?

ANNA
안나
Oh. You are the fifth spirit. You are the bridge.
오. 언니가 다섯 번째 정령이구나. 언니가 그 다리였어.

ELSA
엘사
Well, actually, a bridge has two sides. And Mother had two daughters. We did this together. And we'll **continue to do** this together.❹
음, 그런데 말이지, 다리는 양쪽이 있는 거야. 그리고 어머니에겐 두 딸이 있었고, 우린 이 일을 함께한 거야. 그리고 앞으로도 계속 함께할 거야.

ANNA
안나
Together.
함께.

❶ I thought I'd lost you! 너를 잃은 줄 알았어!

〈I thought + 주어 + 동사〉는 '나는 ~라고 생각했다'라고 해석할 수도 있지만, 많은 경우에 '나는 ~인줄 알았다'로 해석해야 자연스러워요. 그러한 사실을 염두에 두며 패턴 문장으로 연습해 볼게요. 부정문 〈I didn't think + 주어 + 동사〉의 경우에도 '~인줄 몰랐다'로 해석되는 경우가 많으니, 이 패턴도 함께 활용해 보도록 해요.

★ 영화 속 패턴 암기

❷ The spirits all agreed Arendelle deserves to stand with you.
아렌델은 너와 함께 서 있을 자격이 있다고 모든 정령들이 동의했어.

deserve는 '~을 누릴/받을 만하다 (그럴 만한 자격이 있다)'라는 의미인데, 부정적인 상황에서는 '~을 당해야 마땅하다'는 의미로 쓰이기도 해요.

* I don't think Brian **deserves to** win the award. 난 브라이언이 그 상을 받을 자격이 있다고 생각하지 않아.
* You are getting what you **deserve**. 네가 마땅히 당해야 할 일을 당하고 있는 거야.

❸ You did what was right, for everyone. 넌 옳은 일을 했어, 모두를 위해.

앞장에서 the right thing '옳은 일'에 대해 다뤘는데, 여기에서 나오는 what is right 역시 '옳은 일/것', 또는 '무엇이 옳은지'라는 뜻으로 쓰이는 표현이에요.

* He knew **what was right**. 그는 무엇이 옳은 일인지 알았다.
* I don't know **what is right** or what is wrong anymore.
  난 무엇이 옳은 것이고 무엇이 그릇된 것인지 이제 더 이상 모르겠어.

❹ And we'll continue to do this together. 그리고 앞으로도 계속 함께할 거고.

continue는 '(쉬지 않고) 계속하다/계속되다'는 의미의 동사인데, 그 뒤에 'to + 동사'를 연결해서 '계속 ~하다'라는 의미로도 쓸 수 있답니다.

* We will **continue to pray** for you. 우린 너를 위해 계속 기도할 것이야.
* I will **continue to do** my best. 난 계속 최선을 다할 거야.

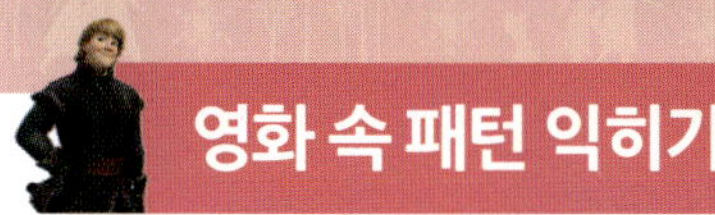

오늘 배운 장면에서 뽑은 핵심 패턴으로 다양한 표현을 만들어 보세요.

🎧 28-2.mp3

I thought + 주어 + 동사과거

~인줄 알았다/~한 상황이라고 생각했다.

Step 1 기본 패턴 연습하기

1 **I thought** he was smarter than me. 난 그가 나보다 똑똑한 줄 알았어.

2 **I thought** you didn't want it. 난 네가 그것을 원하지 않는 줄 알았어.

3 **I thought** no one was here. 난 여기에 아무도 없는 줄 알았어.

4 ＿＿＿＿＿＿＿＿＿＿＿＿ me, too. 난 그녀도 나를 좋아하는 줄 알았어.

5 ＿＿＿＿＿＿＿＿＿＿＿＿＿＿＿ against me. 난 온 세상이 다 나에게 등을 돌렸다고 생각했어.

Step 2 패턴 응용하기 | I didn't think ~

1 **I didn't think** it was necessary. 난 그게 꼭 필요한 일이라고 생각하지 않았어.

2 **I didn't think** dad would be home so soon. 난 아빠가 이렇게 일찍 집에 올 줄 몰랐어.

3 **I didn't think** this assignment would be this hard. 이 과제가 이렇게까지 힘들 줄 몰랐어.

4 ＿＿＿＿＿＿＿＿＿＿＿＿ could do it. 우리가 할 수 있을 거라고는 생각 못했어.

5 ＿＿＿＿＿＿＿＿＿＿＿＿＿ about me. 난 그들이 나에게 관심이 있을 거라고는 생각하지 않았어.

Step 3 실생활에 적용하기

A Hey, are you ready?

B 워, 난 네가 나를 두고 떠난 줄 알았잖아.

A What? I would never do that.

A 야, 준비됐니?

B Whoa, I thought you left without me.

A 뭐라고? 난 절대 그런 짓은 안 해.

정답   Step 1 **4** I thought she liked **5** I thought the whole world was   Step 2 **4** I didn't think we **5** I didn't think they cared

문제를 풀며 오늘 배운 표현을 완벽히 내 것으로 만드세요.

A | 영화 속 대화를 완성해 보세요.

ANNA ❶_____________________ I'd lost you! 언니를 잃은 줄 알았어!

ELSA Lost me? ❷_____________________. Again!
나를 잃었다고? 네가 나를 구했어. 또다시!

ANNA I did? 내가?

ELSA And, Anna, Arendelle ❸_____________________.
그리고, 안나, 아렌델은 무너지지 않았어.

ANNA It didn't? 안 무너졌다고?

ELSA The spirits all agreed Arendelle ❹_____________________ stand with you. 모든 정령들이 동의했어. 아렌델은 너와 함께 서 있을 자격이 있다고.

ANNA Me? 나?

ELSA ❺_____________________, for everyone.
넌 옳은 일을 했어, 모두를 위해.

ANNA ❻_____________________ the fifth spirit? 다섯 번째 정령은 찾았어?

ANNA Oh. You are the fifth spirit. ❼_____________________.
오. 언니가 다섯 번째 정령이구나. 언니가 그 다리였어.

ELSA Well, actually, a ❽_____________________. And Mother had ❾_____________________. We did this together. And we'll ❿_____________________ this together.
음. 그런데 말이지, 다리는 양쪽이 있는 거야. 그리고 어머니에겐 두 딸이 있었고. 우린 이 일을 함께한 거야. 그리고 앞으로도 계속 함께할 거고.

B | 다음 빈칸을 채워 문장을 완성해 보세요.

1 난 여기에 아무도 없는 줄 알았어.

_____________________ no one was here.

2 난 그녀도 나를 좋아하는 줄 알았어.

_____________________ me, too.

3 난 온 세상이 다 나에게 등을 돌렸다고 생각했어.

_____________________ against me.

4 우리가 할 수 있을 거라고는 생각 못했어.

_____________________ could do it.

5 난 그들이 나에게 관심이 있을 거라고는 생각하지 않았어.

_____________________ about me.

An Emotional Reunion

감동적인 재회

모든 것이 다시 예전 모습으로 돌아오고^{back to what it used to be} 모두가 행복해하지만, 떠나간 올라프 생각에 마음 한쪽이 아려오네요^{aching}. 그런데, 엘사가 갑자기 안나에게 '나랑 눈사람 만들래?'라고 물어보네요. 이것이 무슨 의미일까요? 그래요. 이렇게 올라프를 보낼 수는 없죠. 엘사의 마법으로 다시 올라프가 생명을 얻게 되고^{born again}, 모두들 기쁨에 어쩔 줄 몰라 하네요^{delirious with joy}. 모든 것이 해피엔딩으로 끝난 줄 알았던 그때 크리스토프가 한 가지가^{one more thing} 남았다고 합니다. 그건 바로 안나에게 청혼하는^{propose} 거예요.

Warm Up! 오늘 배울 표현   오늘 등장하는 표현들입니다. 어떤 표현이 들어가야 할지 생각해 보세요.

* ______________ we're done.   우리 다 끝난 거겠지.

* Or is this putting-us-in-mortal-danger-situation gonna be ______________?
아니면 우리를 치명적으로 위험한 상황에 처하게 하는 게 앞으로도 주기적으로 있을 예정인가?

* Anna, ______________________________.
안나, 넌 내가 아는 사람 중에 가장 특별한 사람이야.

* ______________________________.   내 모든 걸 다 바쳐서 널 사랑해.

OLAF
올라프

Anna? Elsa? Kristoff and SVEN! You all came back!
안나? 엘사? 크리스토프와 스벤! 모두들 돌아왔구나!

OLAF
올라프

Oh, I love happy endings, I mean, **I presume** we're done.❶ Or is this putting-us-in-mortal-danger-situation gonna be **a regular thing**?❷
오, 난 해피엔딩이 너무 좋더라. 그런데, 우리 다 끝난 거겠지. 아니면 우리를 치명적으로 위험한 상황에 처하게 하는 게 앞으로도 주기적으로 있을 예정인가?

ELSA
엘사

No, we're done.
아니, 우리 모두 끝났어.

KRISTOFF
크리스토프

Actually, there is one more thing.
실은, 한 가지가 아직 남았는데.

KRISTOFF
크리스토프

Anna, **you are the most extraordinary person I've ever known.**❸ **I love you with all I am.**❹ Will you marry me?
안나, 넌 내가 아는 사람 중에 가장 특별한 사람이야. 내 모든 걸 다 바쳐서 널 사랑해. 나와 결혼해 줄래?

ANNA
안나

Yes!
응!

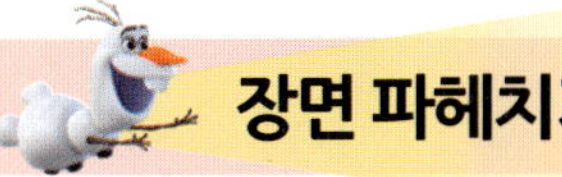

❶ I presume we're done. 우리 다 끝난 거겠지.

presume는 '추정하다, 여기다, 간주하다'는 의미로 assume과 같은 의미의 동사인데, presume이 어떤 개연성이나 확률을 근거하여 가정할 때 쓰인다면, assume은 어떠한 근거나 증거 없이 말할 때 쓰이는 경우가 많답니다. presume을 문장에서 번역할 때는 사전적 정의대로 하는 것보다는 문맥에 맞춰 의역해야 하는 경우가 훨씬 더 많을 텐데, '아마도 ~라고 생각한다' 정도가 가장 자연스러운 해석이 될 거예요.

* **I presume you are busy.** 아마 넌 바쁠 거라고 생각해.
* **I presume I don't have to explain this part.** 아마도 이 부분은 설명 안 해도 될 것으로 생각해.

❷ Or is this putting-us-in-mortal-danger-situation gonna be a regular thing?
아니면 우리를 치명적으로 위험한 상황에 처하게 하는 게 앞으로도 주기적으로 있을 예정인가?

이 문장에서 어려운 단어, mortal은 '언젠가는 반드시 죽는, (신에 비하여 아무 힘없는 일반 보통) 사람/인간'이라는 뜻으로 쓰이는 명사예요. 그런데, 문어체로 쓰일 때는 '치명적인, 대단히 심각한'이라는 뜻이 되기도 하는데요, 여기에서는 이 뜻으로 쓰인 것으로 보이네요. 문장의 맨 뒤에 나오는 regular는 '규칙적인, 정기적인'이라는 의미로 a regular thing이라고 하면 연례행사, 월례행사 등과 같이 '정기적으로 일어나는 일'을 뜻한답니다.

* **So you're saying this is going to be a regular thing?** 그러니까 네 말은 이게 정기적으로 발생할 거라는 얘기지?
* **I assure you it's not a regular thing.** 정기적으로 있는 일은 아니라고 내가 보장할게.

❸ Anna, you are the most extraordinary person I've ever known.
안나, 넌 내가 아는 사람 중에 가장 특별한 사람이야.

〈You are the 최상급 형용사 + person I've ever known〉은 '넌 내가 지금껏 알던 사람 중에 가장 ~한 사람이다'는 의미로 쓸 수 있는 패턴 표현이에요. 상대방에 대해서 극찬하거나, 혹은 그 반대로 아주 혹독한 표현할 때 쓸 수 있겠어요. 문장 맨 뒤에 있는 known 부분의 동사를 바꾸어가며 활용 패턴으로도 같이 연습할게요.

★영화 속 패턴 익히기

❹ I love you with all I am. 내 모든 걸 다 바쳐서 널 사랑해.

with all I am은 '전심으로, 모든 걸 다 바쳐서'라는 의미예요. 사랑을 고백하거나 신에 대한 강한 믿음을 나타낼 때 자주 쓰이는 표현이랍니다.

* **I will take care of this family with all I am.** 모든 걸 바쳐서 이 가족을 지킬거야.
* **I will pursue my dreams with all I am.** 모든 걸 다 바쳐서 난 내 꿈을 좇을거야.

오늘 배운 장면에서 뽑은 핵심 패턴으로 다양한 표현을 만들어 보세요.

🎧 29-2.mp3

You are the 최상급 형용사 + person I've ever known.

넌 내가 지금껏 알던 사람 중에 가장 ~한 사람이다.

Step 1 기본 패턴 연습하기

1 **You are the most beautiful person I've ever known.** 내가 지금껏 알던 사람 중에 네가 가장 아름다워.

2 **You are the kindest person I've ever known.** 내가 지금껏 알던 사람 중에 네가 제일 친절해.

3 **You are the smartest person I've ever known.** 내가 지금껏 알던 사람 중에 네가 제일 똑똑해.

4 ____.
내가 지금껏 알던 사람 중에 네가 제일 사치스러워.

5 ____. 내가 지금껏 알던 사람 중에 네가 제일 발랄해.

Step 2 패턴 응용하기 | 주어 + be동사 + 최상급 형용사 + I've ever + 과거분사

1 She's **the greatest artist I've ever known.** 내가 지금껏 알던 사람 중에 그녀가 가장 훌륭한 아티스트야.

2 Caleb is **the most handsome man I've ever met.** 내가 지금껏 만나 본 사람 중에 칼렙이 가장 잘 생겼어.

3 He's **the most kind-hearted guy I've ever seen.** 내가 지금껏 본 사람 중에 그가 마음씨가 제일 고와.

4 ____.
내가 지금껏 만나 본 가족들 중에 그들이 가장 행복한 가족 같아.

5 ____. 내가 지금껏 수행한 업무 중에 그게 가장 어려웠어.

Step 3 실생활에 적용하기

A How would you describe me?

B 내가 지금껏 알던 사람 중에 너는 가장 야망이 큰 사람이야.

A Am I really? I guess you are right.

A 너는 나를 어떻게 묘사할 수 있니?

B You are the most ambitious person I've ever known.

A 내가 정말? 듣고 보니 맞는 말 같기도 하네.

정답 Step 1 4 You are the most extravagant person I've ever known. 5 You are the perkiest person I've ever known.
Step 2 4 They are the happiest family I've ever met. 5 That's the most difficult task I've ever performed.

문제를 풀며 오늘 배운 표현을 완벽히 내 것으로 만드세요.

A | 영화 속 대화를 완성해 보세요.

OLAF Anna? Elsa? Kristoff and SVEN! You ❶__________________!
안나? 엘사? 크리스토프와 스벤! 모두들 돌아왔구나!

OLAF Oh, I love ❷__________________, I mean, ❸__________________ we're done. Or is this putting-us-in-mortal-❹__________________ gonna be ❺__________________?
오, 난 해피엔딩이 너무 좋더라, 그런데, 우리 다 끝난 거겠지. 아니면 우리를 치명적으로 위험한 상황에 처하게 하는 게 앞으로도 주기적으로 있을 예정인가?

ELSA No, ❻__________________. 아니, 우리 모두 끝났어.

KRISTOFF Actually, ❼__________________.
실은, 한 가지가 아직 남았는데.

KRISTOFF Anna, ❽__________________. ❾__________________. Will you ❿__________________? 안나, 넌 내가 아는 사람 중에 가장 특별한 사람이야. 내 모든 걸 다 바쳐서 널 사랑해. 나와 결혼해 줄래?

ANNA Yes! 응!

❶ all came back
❷ happy endings
❸ I presume
❹ danger-situation
❺ a regular thing
❻ we're done
❼ there is one more thing
❽ you are the most extraordinary person I've ever known
❾ I love you with all I am
❿ marry me

B | 다음 빈칸을 채워 문장을 완성해 보세요.

1 내가 지금껏 알던 사람 중에 네가 제일 똑똑한 사람이야.

__________________.

2 내가 지금껏 알던 사람 중에 네가 제일 사치스러워.

__________________.

3 내가 지금껏 알던 사람 중에 네가 제일 발랄해.

__________________.

4 내가 지금껏 만나 본 가족들 중에 그들이 가장 행복한 가족 같아.

__________________.

5 내가 지금껏 수행한 업무 중에 그게 가장 어려웠어.

__________________.

1 You are the smartest person I've ever known.

2 You are the most extravagant person I've ever known.

3 You are the perkiest person I've ever known.

4 They are the happiest family I've ever met.

5 That's the most difficult task I've ever performed.

151

The Things We Do for Love

사랑을 위해 우리가 할 일

이제 노덜드라 인들과 아렌델 인들이 진정으로 우호적인 관계 속에서 살 수 있는 날이 왔네요. 그로 인해, 엘사는 마법의 숲으로 돌아가고 안나는 아렌델의 여왕이 됩니다. 오늘이 바로 그녀의 여왕 즉위식이 열리는 날이에요 ^{Coronation day}. 그녀 앞에 나타난 세 남자, 크리스토프, 올라프, 스벤 모두 평상시와는 완전 다른 모습이에요 ^{they don't look themselves}. 타이를 매고 멋진 정장을 입은 그들의 모습에 안나가 깜짝 놀라며 감동하네요 ^{very impressed}. 한편, 매티어스도 옛사랑 헬리마를 만나서 얼굴에 미소가 가시질 않아요. 여왕 폐하가 되신 걸 축하해요 ^{congratulations}, 안나 여왕님!

Warm Up! 오늘 배울 표현

오늘 등장하는 표현들입니다. 어떤 표현이 들어가야 할지 생각해 보세요.

* **Did you boys get all ____________ for me?** 너희들 모두 나를 위해서 이렇게 차려입은 거야?

* **____________ you in leather anyway.** 어차피 난 네가 가죽옷 입은 모습이 더 좋으니까.

* **____________.** 사랑을 위해 하는 일들이란 정말이지 대단해.

* **____________?** 이 미친 마법이 뭐라고 했지?

ANNA
안나
Kristoff…?
크리스토프…?

ANNA
안나
AWWWW, did you boys get all **dressed up** for me?❶
아우. 너희들 모두 나를 위해서 이렇게 차려입은 거야?

OLAF
올라프
It was Sven's idea.
스벤 아이디어였어.

KRISTOFF
크리스토프
One hour. You get this for one hour.
한 시간. 딱 한 시간만 누릴 수 있는 거야.

ANNA
안나
That's okay. **I prefer** you in leather anyway.❷
괜찮아. 어차피 난 네가 가죽옷 입은 모습이 더 좋으니까.

OLAF
올라프
I'm shocked you can last an hour. That was brutal. **The things we do for love.**❸
한 시간이나 버틸 수 있다니 충격적이네. 너무 잔인했어. 사랑을 위해 하는 일들이란 정말이지 대단해.

MATTIAS
매티어스
What is this crazy magic called again?❹
이 미친 마법이 뭐라고 했지?

HALIMA
헬리마
A photograph.
사진.

MATTIAS
매티어스
Photograph. Huh.
사진이라. 거 참.

MATTIAS
매티어스
We look good.
우리 꽤 괜찮아 보이네.

❶ Did you boys get all dressed up for me? 너희들 모두 나를 위해서 이렇게 차려입은 거야?

〈be동사 + dressed up〉은 '(특히 정장을) 차려입은'이라는 의미의 숙어예요. '정장을 입다, 예쁘게/멋지게 차려입다'라고 말할 때는 동사를 get으로 넣어서 get dressed up이라고 하면 돼요.

* **What are you all dressed up for?** 너희들 무엇 때문에 이렇게들 잘 차려입은 거니?
* **Am I too dressed up for work?** 직장 가는 데 너무 차려입었나?

❷ I prefer you in leather anyway. 어차피 난 네가 가죽옷 입은 모습이 더 좋으니까.

prefer는 '선호하다, 더 좋아하다'라는 뜻의 동사예요. '~보다 ~을 더 선호하다'라고 할 때는 〈prefer + 명사구 + to + 명사구〉로 표현하고, '~하기를 더 좋아하다'라고 할 때는 〈prefer to + 동사〉로 표현해요. 예를 들어, I prefer to walk. '난 걷는 게 더 좋아요.' 이런 식으로 말이죠.

* **I prefer** staying at home to going out. 난 밖에 나가는 것보다 집에 있는 게 더 좋아.
* **I prefer** a guy who's a little less aggressive. 난 조금 덜 적극적인 남자가 더 좋아.

❸ The things we do for love. 사랑을 위해 하는 일들이란 정말이지 대단해.

진정한 사랑을 위해서라면 정말이지 하늘의 별이라도 따다 줄 수 있는 것 아닌가요? 그 정도로 사람들은 사랑을 위해서 못할 일이 없다는 것을 위의 문장으로 표현할 수가 있어요. 이 문장의 뒷부분이 생략되어 있는데, 아마도 원래 문장은 The things we do for love are endless. '사랑을 위해 하는 일들이란 정말 끝도 없다' 또는 The things we do for love are unbelievable. '사랑을 위해 하는 일들이란 정말 믿기 어려울 정도다' 정도가 아닐까 싶어요.

* I can't believe **the things people do for** money. 사람들이 돈 때문에 하는 짓들이란 정말 믿기지 않을 정도야.
* **The things parents do for** their kids! 부모들이 자신의 아이들을 위해 하는 일들이란!

❹ What is this crazy magic called again? 이 미친 마법이 뭐라고 했지?

〈What is this + 명사구 + called again?〉은 '이 ~을 뭐라고 부른다고 했지? 다시 한번 말해줄래?'라는 의미로 쓸 수 있는 표현이에요. 사물의 명칭을 깜박했거나 혹은 뭔가 특이하고 희한한 것에 대해 물을 때 쓰이는 경우가 많아요. 비슷한 상황에서 What do they call ~ (again)? 형식으로 물어볼 수도 있답니다. 함께 패턴 문장으로 연습하도록 해요.

★ 영화 속 패턴 익히기

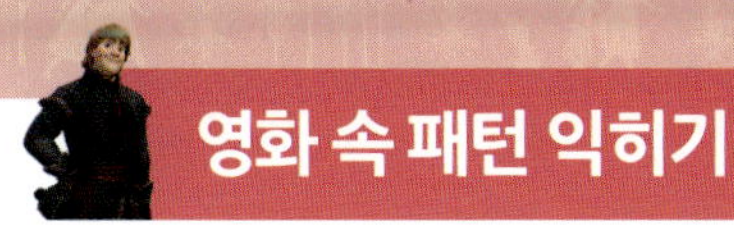

오늘 배운 장면에서 뽑은 핵심 패턴으로 다양한 표현을 만들어 보세요.

🎧 30-2.mp3

What is this + 명사구 + called again?

이 ~를 뭐라고 부른다고 했지? (다시 한번 말해줄래?)

Step 1 기본 패턴 연습하기

1 **What is this** device **called again**? 이 기기 이름이 뭐라고 했지?

2 **What is this** website **called again**? 이 웹사이트를 뭐라고 부른다고 했지?

3 **What is this** weird thing **called again**? 이 이상한 걸 뭐라고 부른다고 했지?

4 _________________________________? 이 동물 이름이 뭐라고 했지?

5 _________________________________? 이 귀엽고 조그마한 걸 뭐라고 부른다고 했지?

Step 2 패턴 응용하기 | What do they call this ~?

1 **What do they call this** in France? 이걸 프랑스에서는 뭐라고 부른다고?

2 **What do they call this** thing again? 이걸 뭐라고 한다고 했지, 다시 한번 말해줄래?

3 **What do they call this** place? 이곳을 뭐라고 부른다고 했지?

4 _________________________________? 이 헤어스타일을 뭐라고 부른다고?

5 _________________________ phenomenon? 이런 현상을 뭐라고 부른다고 했지?

Step 3 실생활에 적용하기

A Have you ever played with this toy before?

A 이 장난감 가지고 놀아본 적 있니?

B Yes! When I was a little kid, I used to play with it all the time.

B 있지! 내가 꼬마였을 때, 나 맨날 이거 가지고 놀았어.

A 근데 이 장난감을 뭐라고 부른다고 했더라?

A What is this toy called again?

정답　Step 1 **4** What is this animal called again? **5** What is this cute little thing called again? **Step 2 4** What do they call this hairstyle? **5** What do they call this

문제를 풀며 오늘 배운 표현을 완벽히 내 것으로 만드세요.

A | 영화 속 대화를 완성해 보세요.

ANNA Kristoff…? 크리스토프…?

ANNA AWWWW, did you boys get all ❶______________ for me? 아우. 너희들 모두 나를 위해서 이렇게 차려입은 거야?

OLAF ❷______________. 스벤 아이디어였어.

KRISTOFF One hour. You ❸______________.
한 시간. 딱 한 시간만 누릴 수 있는 거야.

ANNA That's okay. ❹______________ you in ❺______________. 괜찮아. 어차피 난 네가 가죽옷 입은 모습이 더 좋으니까.

OLAF I'm shocked you can ❻______________. That was ❼______________. ❽______________.
한 시간이나 버틸 수 있다니 충격적이네. 너무 잔인했어. 사랑을 위해 하는 일들이란 정말이지 대단해.

MATTIAS ❾______________?
이 미친 마법이 뭐라고 했지?

HALIMA A photograph. 사진.

MATTIAS Photograph. Huh. 사진이라. 거 참.

MATTIAS We ❿______________. 우리 꽤 괜찮아 보이네.

정답 A

❶ dressed up

❷ It was Sven's idea.

❸ get this for one hour

❹ I prefer

❺ leather anyway

❻ last an hour

❼ brutal

❽ The things we do for love

❾ What is this crazy magic called again

❿ look good

B | 다음 빈칸을 채워 문장을 완성해 보세요.

1 이 이상한 걸 뭐라고 부른다고 했지?
______________?

2 이 동물 이름이 뭐라고 했지?
______________?

3 이 귀엽고 조그마한 걸 뭐라고 부른다고 했지?
______________?

4 이 헤어스타일을 뭐라고 부른다고?
______________?

5 이런 현상을 뭐라고 부른다고 했지?
______________ phenomenon?

정답 B

1 What is this weird thing called again?

2 What is this animal called again?

3 What is this cute little thing called again?

4 What do they call this hairstyle?

5 What do they call this